曼那欽的種
Menachem's Seed

翟若適（Carl Djerassi）／著

張定綺／譯

吳嘉麗／審定

目次

005　我所認識的翟若適教授和他的四部曲小說(序)／吳嘉麗

011　前言

017　第一章

021　第二章

029　第三章

035　第四章

049　第五章

057　第六章

075　第七章

091　第八章

097　第九章

107　第十章

127　第十一章

139　第十二章

151　第十三章

159　第十四章

169　第十五章

185　第十六章

205　第十七章

215　第十八章

227　第十九章

237　第二十章

247　第二十一章

257　第二十二章

367　第二十三章

273　第二十四章

283　跋

（序）
我所認識的翟若適教授和他的四部曲小說

吳嘉麗

十年前經由當時在淡江客座的印度卡普爾（Kapoor）教授之介紹，我們非常高興在國科會的贊助下，得以邀請在化學界，尤其是有機化學界，無人不曉的翟若適教授來訪。在此之前，專業為有機天然物化學的我，只知道在質譜和旋光的應用方面，常常用到翟教授的書和理論。看了他的簡介，才知道原來今天很多婦女仍然在服用的避孕藥，就是他當年合成的，也因此獲得美國國家科學獎（一九七三年），並選入美國國家科學院的院士，身為美國國家科學院的院士，以及美國藝術與科學院的院士，大約已可簡明代表。

一九八九年翟教授來訪時，我有幸接待。更詫異地發現，他竟然也在史丹福大學的婦女研究中心開課，諸如「生育控制的生物社會觀」之類。他從避孕藥的合成，而自然的關心到

節育問題、人口問題、蟲害問題、第三世界的問題，乃至婦女問題。身爲婦女新知基金會創始至今的義工，我與翟教授之間當然又多了一個議題可談。翟教授的夫人，米德布魯克（Middlebrook, Diane）教授，任教於史丹福大學英文系，一向關心女性議題，也曾擔任該校婦女研究中心主任。

翟教授喜歡現代藝術，他自己就是一位收藏家。爲了紀念過世的藝術家女兒，一九七九年成立了一個基金會（Djerassi Foundation），在舊金山近郊有一個廣大的莊園，接待世界各地年輕的藝術家在那兒免費居住數週至數月，以便提供一個最佳的創作環境（Resident Artists Program at SMIP Ranch）。

翟教授興趣廣泛，科學研究從不會只停留在一個領域。他常說他不是純科學家，年輕時因緣際會，加入墨西哥的墨合（Syntex）製藥公司而參與了避孕藥的合成與上市，後來他雖然走入學術界，也從來沒有完全離開過工業界。先後創立過數個新公司或擔任公司顧問。翟教授還喜歡文學，他常常寫詩，往往利用會議中無聊的時刻一心二用，完成詩作，已有一本詩集出版。他寫自己的傳記，寫短篇小說，仍然意猶未盡，終於完成了這一套四本的長篇小說，他稱爲四部曲，因爲書中的幾位主角在四個故事中穿插出現。

四本小說都以科學界爲背景，探討科學界的人、事、物。第一本《康特的難題》（Cantor's Dilemma）原文本於一九八九年出版。這個故事以名教授康特爲主角，他在腫瘤研究方面有傑出的成就與創新的理論，因此與他的博士後研究員，也是他當年的博士生共

同榮獲諾貝爾獎。但是他最受矚目、且因而被提名的那篇論文與另一競爭對手發現無法重複驗證。瞿教授藉著這個虛構的故事，探討科學界的倫理關係、師生關係、同行競爭、人文與科學界論文發表的習慣差異，甚至女性科學家的窘境，也略有觸及。也許爲了故事情節的發展，也爲了反應當今美國社會的某些現象，同居、同性戀、師生約會等情節都在小說中出現。

第二本《布巴奇計謀》（The Bourbaki Gambit）原文本於一九九四年出版。這個故事以幾位退休教授爲主軸，他們不甘心承認自己已無科學創造力，遂隱姓埋名，藉著一個捏造的人名和一位年輕的女博士研究生之參與。發表了一系列的論文。沒想到他們的一項發現——PCR（聚合酶連鎖反應），如何接受頒獎，誰去領獎引起爭議之外，也開始檢驗人性。從事科學研究眞的不想求名嗎？

「PCR」是眞有其事，一九九三年的諾貝爾化學獎即頒給此項發現。簡單說，這項生物技術是去氧核糖核酸（DNA）的複印機，已成爲今日各項DNA檢驗不可或缺的技術。發表了一系列的論文。這生物化學界的突破，如何獲得前衛女性，她研究十八世紀的法國婦女史，在她寡居的歲月，主動追求愛情。反之，故事中較年輕的男主角教授則被動、羞怯、保守。

第三本小說《曼那欽的種》（Menachem's Seed）英文本於一九九七年出版。這個故事雖然也是以科學家爲主角，卻幾乎未談及科學理論。背景是以有名的「布格瓦科學與國際事

務研討會」（Pugwash Conference on Science and World Affairs）為藍本，虛擬為「克齊堡研討會」。在這個會議中來自美國、研究生殖技術的女主角與來自以色列某大學已婚的副校長有一段大膽的激情。年近不惑的女主角利用她所熟悉的體外受精先進生物技術，偷了自認為早年因受核輻射已不可能生育的男主角的精子，而產下一子，成為單親媽媽。

故事中較嚴肅的部分則穿插了中東政治問題，以色列對核武的立場，以及轟炸伊拉克等討論。「布格瓦研討會」一向邀請世界頂尖的科學家，討論科學與全世界相關的各種議題，如核子武器、人口節育、環保、臭氧層等問題。一九九五年的諾貝爾和平獎即頒給了主張並推動限制核武的這個會議。

《曼那欽的種》故事的續集出現在作者的第四部曲《NO》這部小說中。《NO》的英文本於一九九八年出版。《NO》的字面翻譯是「不」或「否定」，但這個化學符號代表的卻是一氧化氮。這個小小的氣體分子近年來可是風雲角色，一九九五年的諾貝爾獎和一九九八年的諾貝爾醫學獎的頒發均與它有關。一九九八年治療男性陽痿的藥「威而剛」上市，造成全球轟動。而《NO》這個故事的主角雖然不是威而剛，卻有異曲同工之妙。本書除了介紹不少真實的生物醫學理論外，更談及科技工業化的問題。美國科技界的「外國人」愈來愈多，尤其是亞洲人。所以作者以一個自大學起即在美國讀書的印度女科學家為主角，企圖帶入種族文化，女科學家的專業與家庭，產品上市的集資與行銷，避免不了的法律訴訟，單親家庭，男性管家等等議題。

從翟教授的這四本小說中，處處可見他本人的風采與理念。他將科學的生硬知識、科學社群的生態及真人真事，以淺易生動的小說形式介紹；小說中的女性都具有聰明、睿智、獨立、自信而且開放的特色；某些科學家的音樂、藝術修養似乎就是作者本人的化身。如果說翟教授的小說不似一般言情小說般的令人感動，實在是因為他企圖在小說故事中負載太多的使命。

翟教授於一九九二年再度獲頒美國化學會的最高榮譽普利斯萊獎，以表彰他過去幾十年來在科學與社會方面的貢獻。一九九七年美國化學會七十五週年，由會員票選七十五位百年來傑出貢獻的化學家。這些高票獲選者中，三十五位為諾貝爾獎得主，二十八位為美國化學會的普利斯萊獎得主，在世者有三十二位，翟教授即為其中之一。在小說《布巴奇計謀》中，即將或已退休的教授仍努力從事科學研究，以期證明他們的創新能力，而現實世界中，已退休的翟教授則是從小說寫作中開創他的另一片天空。

本文作者為美國西雅圖華盛頓大學化學博士，現任淡江大學化學系教授

前言

《曼那欽的種》是我預定要寫的一套「科學小說」（science-in-fiction）四部曲中的第三部，所謂「科學小說」，根據我的定義，必須我談到的每件事都確實辦得到，或有可能實現。不論虛構或真實，我的角色大部分都是科學家。我揭發他們的生活，希望使科學家的文化與言行容易爲世人瞭解——這在現代小說中很少見。

我在第一部曲《康特的難題》中，討論在整個研究事業中一旦缺乏就會崩潰的那種信任；信心和甚至對諾貝爾獎的熱望，是最能推動熱門研究的燃料，但有時卻造成污染；對科學家——年輕一輩和不那麼年輕的一輩，也不盡然是男性——而言，信心與野心是他們研究工作的潛在推進器。第二部曲《布巴奇計謀》中，我把焦點放在科學社群一個快速擴大的小團體：雖然退休但心智仍很敏銳的科學家，將他們跟另一個比較罕見的因素（亦及匿名的cooperative）銜接在一起，在一個一位著重名人小圈圈的文化中，這顯然是矛盾的。

雖然我強調科學家作為人的層面，我也要借小說的偽裝，向一般大眾解釋科學菁英（他們在全世界數以十萬計的科學家與技術人員中，只佔最頂尖的百分之五）完成的若干科學突破。所以在《康特的難題》中，很多章節中都看到小蟲飛來飛去，因為近年在無脊椎動物內分泌學，以及建立於費洛蒙之上的溝通方式之研究，乃是故事不可或缺的一部分。《布巴奇計謀》則試圖說明一九九三年贏得諾貝爾化學獎──聚合酶連鎖反應（PCR）的發現。這種從殘片複製基因資訊的方法，在無數應用當中，尤以《侏儸紀公園》裡的科技幻想最為人熟知，雖然它可能跟日常生活最沒有關係。

《曼那欽的種》是第三部曲，主題是性──說得更精確點，是男人的生殖問題。我自己四十多年來的專業生涯，都以研究和講授生殖生物學為主，而又以女性避孕為核心。但是在《曼那欽的種》裡，我談的卻是最頗受科學界矚目的一項男性生殖的新發展：治療男性不孕（而非男性避孕──這方面備受忽略，可說已至可恥的程度）。我在書中介紹的科技已成事實，只除了時間秩序上一個非常重要的例外：為了配合情節發展，我把單一精子人工受精技術的發展，提早了十多年──這項技術由比利時的史泰特根（André c. Van Steirteghem）首創，他准許我將他的名字用在書中一個次要角色身上。

前兩部曲中，我對科學家的部落文化與行為模式的鋪陳，都以熟悉的場域為主：實驗室與家庭。但在《曼那欽的種》裡，我深入國際政治的領域──一般人心目中，這一領域通常較少跟科學家聯想在一起。因此之故，我創造了克齊堡科學與國際事務討論會，假託它是羅

素的創見，藉著羅素引進英國的奧地利著名哲學家維根斯坦的家族財富，得以實現。魏其塞河畔的克齊堡是奧地利一個小鎮，維根斯坦一九二〇年代曾在這兒度過很不愉快的幾年。

克齊堡會議的靈感來自每年召開的「布格瓦科學與國際事務會議」，後者是以諾瓦斯科夏的小鎮布格瓦命名的，第一屆會議（一九五七年）由富豪實業家塞魯斯・伊頓（Cyrus Eton）發起與贊助。這些會議產生的誘因確實是來自羅素。雖然直到最近才略具知名度，布格瓦會議卻於一九九五年贏得諾貝爾和平獎。我虛構的那場一九七七年在克齊堡舉行的克齊堡會議，會期中發生的情節，也很可能發生在眞正的布格瓦會議中。這些會議每年召開，我也與會。我還參加過很多次稍早的布格瓦會議，從一九六七年的龍尼比（瑞典）到一九八二年的華沙。一九八一年的布格瓦會議在加拿大的班夫舉行，從八月二十八日開到九月二日，距我虛構的一九八一年克齊堡會議地點露意絲湖並不遠。所以我的克齊堡會議，借用布格瓦的正式決議案內文的段落，譴責以色列於一九八一年六月七日轟炸伊拉克的奧西拉克核子反應爐的行徑，並無不妥。《曼那欽的種》的主角——以色列頭號核子工程師曼那欽・狄維爾、人稱「大師」的法國物理學家，還有所有其他克齊堡會議的與會者——都是虛構的。但一九七〇年代的中東情勢，尤其是以色列擴充核子武力，以及後來的轟炸奧西拉克，都是事實。我非常感激多位以色列科學家，提供關於這一議題的建議及大量資訊，最主要是已故的沙雷維特・傅瑞爾（Shallheveth Freier），他在布格瓦會議中也很活躍。此外，也要感謝若干位已卸任或現任的耶路撒冷哈達撒醫學研究中心、貝爾旭巴本古里昂大學教職人

員，慨然應允我唐突的採訪與探視的要求。

最後一件事，跟音樂有關。我書中說到，韓德爾最後一齣歌劇（也是第一齣以英文歌詞創作的歌劇）《塔蕾思崔絲與亞歷山大》，世界首演是在一九七七年的維也納。劇本由韓德爾的編劇詹能士，根據復辟時代劇作家魏斯頓一齣幾乎不為人知的悲喜劇《亞瑪遜女王，或塔蕾思崔絲與亞歷山大大帝之戀》改編；曲譜則從一七四二年就歸錯檔，塵封直到最近，才在柏林圖書館被人發現。我希望所有這些音樂方面的情節，都足夠令人信服。但那場世界首演，以及事實上，整齣歌劇和歌詞（不過不包括魏斯頓的劇本）都是我想像的產物。如果世界的某個角落裡，真的藏有一份韓德爾的曲譜，以如此女性主義的角度，處理亞瑪遜女王塔蕾思崔絲的故事，我當然是再高興沒有了。但這份文件重見天日前，讀者唯有靠想像自編曲調，跟著我的歌詞輕聲哼唱了。

Menachem's Seed

第一章

「如果連他都不知道席巴女王的事蹟，也就不值得知道了。」

「那就是曼那欽・狄維爾？」她悄聲問。「就是那個戴眼鏡的白鬍子？倒是個有模有樣，派頭十足的聖經學者。」

「不對啦，」大師悄聲道。這位法國大佬可不像他們正在議論的那位老兄，是與會者當中少數不需要戴名牌的。所有參加克齊堡討論會的人都認得大師。他咯咯笑著說：「那是個俄國佬。狄維爾是旁邊那個。他這以色列人長得像俄國人，而那個俄國人又長得像猶太拉比。他連長相都會誤人。」

「英語說『騙』人。」米蘭妮・連德蘿按奈不住糾正大師的衝動──畢竟，這種機會能有幾次？「可是維根斯坦對此會作何感想呢？」她補了一句，有點太過賣力要維持話題的意味。

「維根斯坦？」

「魯德維・維根斯坦──就是那位哲學大師呀。」

「我不懂其中有什麼關係。」

「他一九二○年代在這一帶教過書。」

「這兒嗎？」法國佬一副只有法國佬才做得出的那種詫異表情。「克齊堡？在這種……」他揮揮手：「你們怎麼說的，trou perdu（鳥不生蛋）？」

米蘭妮無助地聳聳肩膀。過去四分之一世紀以來，她高中學的那點兒法文都還給老師了，現在她連詢問女用洗手間在哪兒都有困難。

「片遠？」他試探地問。

「喔，你是說偏遠地帶。」她鬆了一口氣：「再怎麼偏遠的地方也說不定會走運。像這次會議就是很好的例子。」

「原來你就是狄維爾博士。」中場休息時間將要結束，與會者陸續走回會場時，她悄悄挨近他說：「聽說你是研究席巴女王的世界權威。」

狄維爾慢慢把頭轉過來。「叫我狄維爾先生，」他一字一句地說，聲音彷彿來自可怕的深淵。「我不是博士。」

她指指別在他毛衣上的名牌，讀道：「本古里昂大學。我還以為你是學者，席巴女王專

家。」她很快又加上一句：「有這種專門嗎？」

狄維爾哈哈一笑，一時顯得不那麼可怕了。「我這輩子一直被人冠上不同的稱號，但這倒還沒聽過。我可以借用嗎？」他瞄了一眼她的名牌：「瑞普康（REPCON）基金會？」

米蘭妮很自覺地一笑：「恐怕是吧。」

他聳聳肩膀：「那麼是連德蘿博士囉？」

「恐怕是吧。我在學院裡待過。」

「你也未免太會『恐怕』了吧。；先是你的基金會，然後又是你的頭銜。」

米蘭妮紅了臉：「不過是種表達方式嘛。」

「別緊張，」他邊說邊扶著她手臂，引她走到會場後面一個空位子上。「我不是學者，只是行政人員。」

「哪方面？」她就坐時問。

狄維爾擺擺手：「我是管理各種雜七雜八事務的副校長。本古里昂是所年輕的大學，緊縮行政部門是一種省錢的方式。」

「你們在貝爾旭巴（Beersheba，譯註：以色列南部大城，自古為軍事要隘），對吧？」

狄維爾點點頭。

「那是在涅蓋夫（Negev，譯註：以色列南部，位於約旦河西岸，約佔巴勒斯坦的一

半，農業發達，首府爲貝爾旭巴），對吧？」

狄維爾的注意力轉開了，他心不在焉又點點頭。

「迪莫納（Dimona，譯註：涅蓋夫一城鎮，全以色列最大的核反應爐位於此地）不是也在涅蓋夫嗎？」米蘭妮緊追不捨地問，

狄維爾的注意力頓時轉了回來：「那又怎麼樣？」

「那不是你們的核子彈藥庫所在地嗎？」

坐在米蘭妮前方的男人回過頭來，一隻手指豎在唇上：「噓，沒看見會議已經開始了嗎？」

狄維爾無視於他的干擾。他全神貫注在米蘭妮身上，「那又怎麼樣？」他又問一遍。

「我知道你是那兒最早的幾位主管之一，」她湊在他耳畔低聲說。

狄維爾猛然掉頭過來，她的嘴唇碰到他的耳朵。「先是席巴女王；然後是迪莫納。誰告訴你的？」她判斷不出他是生氣還是好奇。

「待會兒再談，」她悄聲道。

第二章

「你有家眷嗎？」湯端上來後，米蘭妮問。

「當然囉。難道美國這麼流行無性生殖嗎？」

真好笑，她忖道，不過只能怪我自己提這種問題。「我的意思是，你有子女嗎？」

「你真的就是要知道這件事嗎？」他半開玩笑地問。

「好吧。你結婚了嗎？很多人帶太太來克齊堡，但你似乎是一個人。」

「你的男人呢？」他開始出擊。

「男人？你是指我的丈夫——」

「少咬文嚼字，」他打斷她：「我指的就是你的『男人』。」

「我先生過世了。」

「抱歉。」淘氣的閃光離開了他的眼睛。

「那麼你呢？」

「我不是鰊夫。你爲什麼兜著圈子問這些問題？」

「兜圈子？」米蘭妮不是個容易臉紅的人，可是這下子整臉泛起嫣紅：「你是什麼意思？」

「你爲什麼不直接問我結婚了沒？」

「你有嗎？」

「這麼問是因爲你想跟我上床嗎？」

米蘭妮的雙頰紅得像石蕊試紙。她飛快地瞄一眼鄰桌，一部分是爲了掩飾自己的尷尬，但主要是察看他們的對話有沒有人聽到。沒什麼好擔心的。正如所有擠滿學者與政客的餐廳——克齊堡以提供兩者交流場地馳名——高分貝交談聲確保完全的隱私。

「我看該換個話題了。」她故做正經狀。但他的直接了當和那種對社交禮儀滿不在乎的作風，讓她覺得⋯⋯自在。「我猜你經常參加這種場合。你覺得有什麼收穫？」

曼那欽聳聳肩：「我來是因爲我確實覺得有收穫：我會碰到平常碰不到的人，聊我感興趣的話題。」

米蘭妮很清楚自己爲何來參加這個討論會，這是她第一次來克齊堡。她最近才獲准加入以封閉排外著稱的歐洲科學家圈子，對於別人來此的目的特別感興趣，尤其是那些交遊廣闊，如魚得水的人。

她知道很多數據：克齊堡第一次聚會是在五〇年代末冷戰顛峰時期。一開始，與會者唯一的共同點就是恐懼核武競賽會失控——鐵幕兩邊都有為數驚人的科學家認同這份恐懼。一九五五年七月九日，羅素在倫敦一場公開聚會中，宣讀一份他跟愛因斯坦聯手草擬的宣言，開宗明義說：「人類面臨悲慘處境，我們認為科學家應該共聚一堂，評估發展大規模毀滅武器帶來的危機，並研究解決方案……」聽眾當中，有一位來自奧地利的物理學家，他知道必須動用未受政治污染的資金，方能以東西雙方都能接受的方式將羅素的遠見付諸實現。這位未受納粹污染的奧地利物理學家，下定決心要讓羅素與愛因斯坦的宣言開花結果。

當時奧地利剛宣佈成為中立國，儼然有成為另一個瑞士之勢，而且蘇聯與西歐盟國也已能夠實現羅素的高瞻遠矚的人——不是他自己，而是奧地利最偉大的哲學家，魯德維‧維根斯坦。二十世紀初，維根斯坦家族積聚了無與倫比的財富，很多人都將他們比做奧地利的洛克斐勒或克魯伯（Krupps，譯註：世界最大的軍火製造商世家，自十九世紀即以供應德國政府武器而致富）家族。維根斯坦從不把錢放在心上。事實上，他對繼承得來的財富滿懷輕蔑，所以他三十出頭——他三十一歲出版名作《邏輯哲學論》（*Tractatus Logico Philosophicus*）——就脫離家族，到僻處魏其塞河畔的的克齊堡鄉下，在特拉登巴克、哈斯巴克、歐特塔等地當小學老師。他拒絕家族提供的一切經濟援助，甚至生病時都不肯接受他們送來的食物。真是不折不扣的隱遁者。

這位維也納的物理學家想到一位舊識，是維根斯坦的堂姊妹，於是打電話給她。他問，為什麼不拿一點維根斯坦家的錢，完成一個魯德維若非早在四年前就已去世，想必會贊同的偉大目標呢？為什麼不對已屆八十高齡的羅素略表敬意呢，畢竟維根斯坦踏上哲學之途是受到他的啓蒙，雖然後來的發展與羅素哲學南轅北轍，又為什麼不以奧地利為根據地，把它新贏得的中立地位，造就成冷戰期間東西方少之又少的政治合作範例。這位物理學家還有一招神來之筆，他建議，這場科學與國際事務研討會不選在歷史包袱格外沈重的維也納召開，而挑中了沒沒無名的克齊堡，也就是哲學大師曾經孜孜矻矻，致力教誨農家子弟的同一個環境。外交手腕卓絕的物理學家，在此就打住話頭；因為接下來的發展是，維根斯坦因體罰一名學生的方式過分苛虐，為當地人士所不容，被迫很突兀地離開克齊堡。

第一場會議於一九五七年在克齊堡舉行，雖然往後幾年也曾陸續在奧地利其他地區召開，包括奇茲布海、貝加斯坦、維也納、翟爾等地，但當時各界已將這項會議通稱「克齊堡討論會」，與會者則以「克齊堡人」自居。曼那欽不算是一九六○年代以色列的第一代克齊堡人，也不是當年以色列的克齊堡支持者。歷屆克齊堡會議中，以色列出席人數都不超過三人，而且直到一九六二年才受邀參加。那一年，防止核子擴散的議題已升高為克齊堡議程的重點。法國與以色列在核子戰場上攜手合作的傳言也已經證實：邀請以色列科學家參與克齊堡事務，變得意義重大。曼那欽在以色列的地位極為敏感，他出國都必須喬裝改扮，大費周章，所以直到一九六九年，他正式成為涅蓋夫為紀念本古里昂總理而命名的本古里昂大學行

政主管，才在次年得到克齊堡會議的邀請。

米蘭妮問：「你在這兒會碰見什麼別處見不到的人呢？」

曼那欽剛把湯盤推開，他是那種每吃完一道菜一定要推開碗碟，當作用餐的標點符號的人。他不只是輕輕一推而已，在旁的人想不注意都難。這個意思就是盤碗空了、食物吃光了、結束了。

「各式各樣的人，」他答：「但最主要是阿拉伯人。你可以想見，我會感興趣的是哪種阿拉伯人。這種人在貝爾旭巴，或以色列任何地方都碰不到的。」他聳聳肩膀道。

曼那欽開始進攻小牛排。凡是包括膳宿的討論會，菜色通常由廚房全權決定。除了吃素的人享有特別菜單外——這是克齊堡會議在烏坦普爾（Udaipur）召開那年引進的作風，那次除了地主國印度人，每個人都上吐下瀉得不亦樂乎。其他人一律吃固定菜單，上什麼吃什麼。今年也不例外；餐餐都是典型的高卡路里奧地利菜，也不足為怪。

米蘭妮接著說：「我注意到你參加的是區域衝突工作坊。那是你來此的目的嗎？」

「快趁熱吃吧。」曼那欽說：「我會滿口食物，邊吃邊說，雖然這不是很禮貌。不過至少在非洲，他們是這麼教我們的。」

「非洲？」

「等下再告訴你。」他說：「你想知道區域衝突的事。以色列就在這種衝突中誕生，到

現在我們還在裡頭打滾。六〇年代初，我們受盡欺凌，可是現在呢？」他把牛排當作應該消滅的區域衝突，狠很咬了幾口：「我們總是屈居守勢。我的論文標題就已經點明了。」他揮舞叉子，彷彿大會議程就掛在面前。「『關於賈麥爾所撰〈以色列軍事與核能和平用途〉之我見』。我寫這篇論文是因為我已經預見明天早晨賈麥爾發表他的觀點時，英國人與荷蘭人邊聽邊點頭的德行。你讀過他那篇論文嗎？」

米蘭妮搖搖頭：「我參加的是人口問題工作坊。」

「那就算了。」他輕蔑地說，隨即又起一大口馬鈴薯泥。他再開口時，米蘭妮覺得他彷彿是對著一大群聽眾，而不是她一個人講話。他說：「如果英國人同意賈麥爾，我一點都不意外。在他們這兒抓幾下癢，你就會發現每件縐巴巴的蘇格蘭呢外套下面，都藏著一個阿拉伯的勞倫斯。但荷蘭人呢？這讓我擔心。所以我才慎重其事地把我的反駁寫成論文。不過這可不是唯一出現在我們議程上的區域衝突。從前有越南、比亞法拉（Biafala，譯註：一九六七年片面宣佈脫離奈及利亞獨立，引起長達四年的流血屠殺戰爭）、捷克，現在則是高棉、北愛爾蘭，當然也少不了中東。不過我先問一下，你怎麼會得到邀請？」

「我在瑞普康基金會工作。美國代表團決定讓我加入。」

「沒聽過這個機構，是幹什麼的？」

「送錢給人家的。」

「好啊，」曼那欽露齒一笑，假裝把椅子挪近一點：「多少錢？」

他跟別人沒啥兩樣，米蘭妮想道。

「我是開玩笑的，」他好像會讀心術：「但是我身為大學副校長，瞭解各基金會是我的職責。為什麼我從來沒聽說過你這個基金會？」

「也許我們太小了，或太專業了。」

「多小？多專業？」

「跟福特基金會或麥克阿瑟基金會比，我們很小。我們每年送出去的錢還不到兩千萬美元。」

「那還算小嗎？那你們的基金總值一定超過四億美元。以涅蓋夫的標準而言，已經是巨無霸了。」

米蘭妮聳聳肩：「我們非常專業化，只有一個焦點，就是人類生殖。瑞普康（REPCON）拆開就是生殖（reproduction）和避孕（contraception）這兩個字的字首。我們的規模也遠比你想像的小，因為我們不是靠基金孳息維持。我們的創始人規定，所有的錢必須在二十年之內通通花光。一旦達成目標，基金會就宣告解散。那位女士說，反正，如果二十年內找不到解決方案的話，這世界也就完蛋了。」

「女士？」

「雅典娜・康波貝洛，她非常了不起，有機會我告訴你她的故事，」她若有所思地望著他：「那我們是不是可以預期，你一回到本古里昂大學就會提出申請？」

「生殖科技？」他思索道：「我得查查我們這方面的進展。」

米蘭妮豎起食指：「人類生殖科技，最起碼也必須可以應用於人體。老實說，我們的創始人的主要考慮是節育，但我加入董事會以來就發現申請獲准的案件多半是相反的……治療不孕症、試管嬰兒、子宮外生殖技巧——」

「你們難道對男性都置之不理嗎？」他問到，音量忽然大到其他桌的人都轉過頭來。

米蘭妮嚇了一跳。「當然不會，」她低聲說：「我們也支持有關男性生殖的研究工作。事實上，康波貝洛女士對男性的問題特別感興趣：諸如男性避孕法，或如何使她家的男人絕育。」

「真的嗎？」他說，同時把椅子拉近一點兒：「繼續往下說。」剛才爆發的火氣，或不管是什麼，來得快消得也快。

「關於康波貝洛？」

「不。關於你們如何處理男性不孕。」

「我們沒處理。我們只是支持別人做研究。」

第三章

「生殖生物學？你說的是女性生殖生物學。你們男人為什麼不搞清楚自己在整個生殖過程當中扮演的角色？」

雖然問題是針對她的鄰座，但這女人說話的聲音同坐一桌的人都聽得見。這是布蘭岱大學（Brandeis University，譯註：位於美國麻州，一九四八年由猶太人創辦，與以色列大學有密切合作）的年度募款大會，所有來賓都自覺有資格宣洩不滿。這些怨言一律受到禮貌的對待，尤其如果抱怨者有可能捐錢時。

那個女人的鄰座，也就是受她抱怨的對象，乃是菲力·弗蘭肯塔勒教授，他是布蘭岱的明星教授，今晚應邀赴宴主要是為了給來賓佐證，他們的捐款可預期發揮何等樣的價值。弗教授有技巧地答道：「這問題很公平，我必須承認，我主要的研究成績都在輸卵管方面。儘管如此，」他抬起一隻手，阻止別人打擾：「目前這項研究重心卻是放在精子的活動力

「那又怎樣?」女人問。現在她的聲音感興趣的成分比憤怒多⋯⋯「你們最近為我做了些什麼?」

「這麼說吧,」雖然滿桌子的人都盯著他看,他仍然提高了音量⋯⋯「現在我們正致力追蹤一氧化氮的生物功能。」

她的失望清晰可聞:「笑氣嗎?那有什麼關——」

「夫人!」弗教授的外交手腕退化得很快⋯⋯「笑氣是氧化亞氮,化學分子是 N_2O。我們研究的是一氧化氮,分子式是 NO。說得更清楚點,是一氧化一氮。事實上——」弗教授不自覺地過分賣弄化學知識——「說得更精確點,我們——還有很多競爭者——都在研究一氧化氮的各種不同氧化還原形式所扮演的生物角色⋯⋯所謂氧化還原形式,」他匆匆解釋⋯⋯「純粹涉及電子的交換,對我接下來要說明的事項很重要。」

很可能只要再過幾秒鐘,弗教授就得面對聽眾大量流失的後果,但坐他對面的男子適時扭轉了大局。

「我還以為一氧化氮是種工業氣體,而且有毒。它不是跟汽車廢氣、臭氧層破壞、酸雨都有關嗎?」

「一點也不錯!」弗教授一聽大樂⋯⋯「但是你可知道,果蠅、雞、鱒魚、鱟也都會產生這種氣體?甚至人也會?化學結構如此簡單的分子,直到最近才被發現具備如此之多的生物

功能，真是不可思議。雖然它的半衰期極短，這是動物體內產生的一氧化氮一直受忽視的主因，但現在已知，極少量的一氧化氮是一種非常重要的生物信差。」他頓了一下，以確保這句話能深入人心。成功了。他的聽眾不論懂不懂生物信差是什麼意思，都已放棄用餐。畢竟，這正是他們專程前來想聽的東西。

「一氧化氮與血液凝塊、免疫系統摧毀癌細胞、神經傳導都有關，還有對我們的研究最重要的，」弗教授盯住那個因他對男性生殖感興趣提出質疑的女人：「控制血壓。」

「我們的一大難題，」他露出一個共商大計的微笑，彷彿周遭這群聽眾都是我們還不知道，一氧化氮的各種形式，中性，帶負電、帶正電之中，何種扮演何種生物角色。」

「我確信這一切都非常引人入勝，」他的鄰座女子說：「可是這又跟男性生殖生物學有什麼關係？」

弗教授大吃一驚。難道她在開他玩笑？「你知道什麼是海綿體（ corpuscavernosum ）嗎？」他問，嘴邊現一抹獰獰的微笑。

「不知道，」她說：「請你寫出來。」

「不重要啦。它是主導陰莖勃起的組織。」

「很好，很好，」她第一次露出笑容⋯⋯「再告訴我們一點。」

「一氧化氮跟海綿體平滑肌的鬆弛有關——」

「鬆弛?」她打岔道:「可是你不是要它——」

「夫人!」謝天謝地她不是我學生,他暗忖道。「讓我把話說完。我正要說,一氧化氮促成的海綿體平滑肌鬆弛,容許更多血液流入陰莖,這麼一來,」他彷彿要邀她共舞似地朝那個女人的方向一鞠躬,「就達到了你那麼急切要完成的目標:陰莖腫大了。換言之,你會得到一根硬梆梆的——」她把他惹火了,他很想說「雞巴」,不過他及時克制自己。「陰莖」他有點沒精打采地說。

「說下去,」她說:「你看見的,」她比一比滿桌子的人,「我們都在聽。所以你們布蘭代這群人,要拿這根硬梆梆的陰莖怎麼辦?」

弗教授脹紅了臉。他力持鎮靜說:「我有一位最優秀的博士後研究員,正在嘗試設計一種會釋出一氧化氮的物質,以便應用在陰莖上,治療不舉。」

「我就知道!」那個女人勝利地大聲說。「女性生殖生物學對你們的意義就只是節育而已。但你們男人研究你們自己的性器官時,就只關心——」

「慢著。」弗教授已經把他奉承潛在施主的重責大任拋在腦後了。「如果你沒法子讓它豎起來,」他從牙縫裡說:「你就不可能把它塞進去。到那時候,我們才需要開始擔心節育問題。如果你想知道,我實驗室裡做這方面研究的都是女性。」

談話氣氛自此再也沒有恢復過。

「雷妞，」募款餐會的災難結束後，又過了幾星期，弗教授問：「你會考慮到以色列待幾個月嗎？」

「為什麼是以色列？」

每當雷妞·庫里希南需要時間考慮時，她就會用問題做擋箭牌。

弗教授坐在實驗室的高腳凳上：「你在一間最炙手可熱的一氧化氮生物學實驗室工作，但我們得面對現實。布蘭岱擁有偉大的羅森迪醫學研究中心，也就是你工作的地方，」他把她當同志般親切地對她擠擠眼睛：「但是沒有醫學院。而我們都知道，波士頓所有的門診醫院都只對女人感興趣。」老天，我的口吻還真像餐會上那個女人。「但是在以色列，你可以跟哈達撒醫學中心那位世界一流的婦科專家耶胡達·戴維森求教。他不僅負責門診，也是鑽研男性不育與不舉的大師級人物。」

「你要我到那兒工作多久？」

弗教授大方地攤攤雙手：「你自行判斷。只要你能確定對人類處方一氧化氮釋放劑最好的方式，多久都沒關係。幾個月，說不定半年如何？」

「什麼時候？」

「我想開春吧。那時候的耶路撒冷最美。而且我籌措經費大概也得那麼久。」

「你打算怎麼做？」雷妞做博士後研究才第二年，但她已經發現募款技巧非常重要，不亞於她在實驗室學習的任何一件事。「國家衛生研究院的限期剛錯過。下個年度的申請不是

一月截止嗎？等他們做出決定，已經是夏季或秋季了。」

弗教授滿意地點點頭。博士後研究員而能注意募款的細節，真是不錯。「我沒考慮公立機構。我們談的不是很多錢，說不定兩萬五就夠了。我來試試瑞普康。我打賭他們會贊助，尤其如果他們聽說資助的是一個研究男性生殖的女性。即使研究的是性無能而不是節育也沒關係。」他補充一句，好像還在對餐會上的那位女批評者說話。

「即使瑞普康會核准你的申請，又怎麼知道會這麼快就回應呢？」

弗教授端詳這名年輕的女學生。該給她上一課了，他想。「首先，瑞普康是私人機構，沒那麼多繁文縟節。其次，他們只資助有關生殖生物學的研究，而且必須能應用於人類。事實上，我們在申請就會指出，這完全符合你的研究專題。」他警告地豎起食指。「最重要的。兩萬五在基金會董事自由裁度的預算限度之內，所以沒有委員會審核或期限的問題。」

「你認識那位董事嗎？」

弗教授放任自己再度推心置腹地擠擠眼睛，若有其他博士後研究員在場，他是絕不會這麼做的。但那天下午，他認為雷妞值得這動作。

「我確實認識她。打從她跟賈斯汀·連德蘿結婚，我就認得她了。」

第四章

「晚間議程結束後，跟我們一塊兒去洗三溫暖如何？」曼那欽推開椅子，準備下桌時說。餐廳裡的人都已起身，走向小學，準備參加晚場討論會。

「我們？」米蘭妮問：「我們是哪些人？」她的問題聽來漫不經心，彷彿他只不過邀她一塊兒喝杯咖啡似的。但她心頭的雷達開始運轉掃瞄，不過她也注意到，它不像平時那麼活躍，這會兒簡直有點敷衍了事。

曼那欽的回答夠令人放心的。他說：「天曉得！反正一定是一群有意思的人。」

「聽你這麼說，好像這已經成為傳統了。」

「沒錯，」他點點頭。「從一開始我就在場了——那是一九七三年在赫爾辛基北邊的奧蘭可開會，地主國芬蘭理所當然在附近的湖邊安排了一個燒木柴的三溫暖，設備非常齊全，連鞭身體的樺樹枝都準備了。」他吃吃地笑：「不過我跳過了鞭打那部分。當時使用三溫暖

的女人都是斯堪地那維亞人——眷屬、工讀生等，她們對全身赤裸都非常自在。」曼那欽敘述時帶著孩子氣的笑容，他圈起拇指和食指表示讚許。「但不久消息就傳開了；每天晚上討論會結束時，那個大三溫暖就成為最熱門的交流場所——尤其有一批身強力壯，往冰心澈骨的湖水裡跳，樂此不疲的人。」曼那欽又往椅子裡一倒，好像忘了是該離開的時候。

「有人，好像是卡爾‧波帕（Karl Popper）說過，科學家天性都很謙虛。或者他是說，只有偉大的科學家才如此。反正不管怎樣，這論調其實是一種值得稱道的虛構——完全不符事實，很可惜。來此的人每個都擁有多重人性優點，唯獨缺乏謙虛這一項。這不在他們的套裝知識之列。」他發出一聲令人解除戒心的朗笑：「我不知道為什麼我說『他們』，我自己當然也包括在內。但不論謙虛的反面是什麼，大家在三溫暖裡裸裎相見。在蒸汽騰騰的黯淡光線下，大腹便便、戴著厚眼鏡的男人，都縮減到最基本的人性層次。」他又笑了一聲：「我在以色列從不去三溫暖，但這兒的三溫暖讓我上癮。所有的地區主辦單位都會設法提供設備。我真等不及要看哪些人會露面。」

「女人也參加？」她問。

「我確信有些斯堪地那維亞人和德國人會去。」他聳聳肩：「你呢？你洗過三溫暖嗎？」

「她當然洗過。兩年前她搬到曼哈坦中城，慢跑——她最喜愛的運動——就變得過於複雜。白天她太忙，天黑後去慢跑又太孤單，於是加入一家女子運動俱樂部，跳有氧舞蹈和游

泳，然後洗三溫暖。她明白曼那欽所謂上癮是什麼意思。米蘭妮不僅對三溫暖上癮，也對裸體上癮——只靠蒸汽略做掩飾的祖露，卸除所有化妝品和身體上的偽裝。

米蘭妮喜歡觀察俱樂部三溫暖裡各形各色的肉體，她不以赤裸爲羞，事實上，她對自己很滿意。觸感堅實，比例勻稱，她的身材絕對是所謂的「有形」，重要部位都纖穠有度：小腹、大腿、臀部，甚至她小巧而豐滿的乳房。

但男人呢？賈斯汀死後，她就沒見過男人的裸體。而看看這個不久前才問過她想不想跟他上床的男人裸體：這念頭滿有吸引力。它的吸引力在於，當她克服最初強烈的尷尬後，就發現他那句本質上相當無禮的話竟讓她亢奮起來，而她已經好幾個月，說不定好幾年沒有這種感覺了。出任瑞普康基金會董事以來，她經常有機會接觸男人，但他們無非就是要錢。她不只一次對桃麗絲・杜克（Doris Duke）、芭芭拉・赫頓（Barbara Hutton）等豪門出身的富家女感到心有戚戚焉，她們永遠無法確知，男人看中她們除了錢還有什麼。

曼那欽不一樣。初相遇時，他對瑞普康一無所知。在米蘭妮看來，這就足以把他視爲學術圈的稀世之寶，讓她願意忽視他其他方面的缺點。但是在克齊堡的男女混合三溫暖裡，可有什麼衣著規範？或者全世界任何一家男女混合三溫暖，可有這麼一套規範？米蘭妮從來沒到過這種場合。

「怎麼樣，你會來嗎？」他們走向當地小學的體育館參加全體大會，途中曼那欽又問了一遍。研討會趁著漫長的暑假在此舉辦，爲期一周。以二十人爲限的分組討論工作坊，則在

教室裡聚會。

「大概會吧。」她說。

晚間的大會上，米蘭妮沒見到曼那欽。她問一位華府某智庫的女律師，有沒有興趣晚上一塊兒去洗三溫暖，對方的回應差點讓她放棄這念頭。女律師本來興趣很濃厚，直到米蘭妮告訴她，現場還有男人。

「我想還是不要吧，」女律師停頓了一下說：「何況，我也沒帶泳衣。」

「泳衣」一詞更加提高米蘭妮的心防。其他人會不會穿泳衣呢？在她的運動俱樂部裡，在三溫暖裡泳衣會被認為沒格調：對腿上的肥肉過分敏感的女人，通常就用毛巾掩飾那不欲人見的部位。她想，忘了三溫暖吧，不值得這麼麻煩的。

回到她分配到的那間石牆客舍的房間，剛脫掉長褲，她就停了下來。她的遲疑也許跟某種不愉快、不滿足有關，也可能是因為她從敞開的浴室門上那面全身穿衣鏡中，瞥見自己的身影。米蘭妮習慣每次在鏡中看見自己，都會以夾雜自信與不安全感的心情審視一番。今晚，她望著回望她的鏡中人影，不由得假想男人眼中的自己是怎麼回事。她穿銀色的及膝襪、黑色中跟的T字扣帶鞋搭配長褲。少了長褲，閃閃發光的襪子和比基尼式內褲中間，只有赤裸的胴體。以她目前的裸裎程度，上半身的黑色高領衫頗具脫衣舞孃的魅惑。只不過脫掉一條長褲，她就從半專業的學者搖身一變為高級淫娃，這轉變嚇了她一跳。卸下毛衣，她

繼續檢視，緩慢轉身，解開胸罩，露出乳房。

她只花幾分鐘就把長褲和毛衣都穿回身上，刷了牙（幹嘛洗三溫暖要先刷牙？換在較不衝動的情況下，她或許會自問），隨手抓一條浴巾，就把門砰一聲帶上。米蘭妮雖然日常很注重整潔，卻沒多費心把脫掉的胸罩攔進抽屜。隨意扔在床上。這一省略純屬無意識，可是她隨身攜帶房間鑰匙，沒交給櫃檯，卻是有意的。

公用的更衣室亂成一片。滿地是游泳池帶上來的水，長凳和牆上的鉤子，到處是衣服，一望即知是男用更衣室。米蘭妮極力克制想從三溫暖沈重木門上的小窗，向燈光朦朧的室內窺視的衝動。她轉而查看衣服。其中有一件綠色的毛料女裙，小心摺好，蓋住幾件更私密的衣物，其他衣服則都是難辨性別的長褲和毛衣。她很快數一下鞋子，顯示目前有八名使用者，其中至少一人為女性。

管他的，她想，我脫光就是了。不頂豪華的浴巾只夠同時遮住她的乳房和陰毛，但她估計，若採取坐姿也還算過得去。

煙霧瀰漫，燈光黯淡的蒸汽室裡，什麼也看不見。米蘭妮在門口遲疑了一下，茫然四下張望，她把門開得太久，後面有個人是臥姿，前面四人彎身向前，上層對其他人而言顯然太熱，只有一個人仰天而臥，米蘭妮就蜷伏在他腳邊。她這位上層浴伴的性器官展露無

遺，但下層那批彷彿在候診室排排坐的，就沒這麼明目張膽。她正下方那人的乳房和裹著毛巾的頭，讓她鬆了口氣，起碼有一個女性在場。但其他人是誰？她雖據守制高點，但其中僅兩人偶爾喎喎低語，其他人的輪廓模糊不清，提供不了多少線索。

「好熱呀！」她對不特定對象宣告，希望有人辨認出她的聲音。曼那欽在哪兒？她想。

幾乎像是一聲令下，門開了，兩個滿身滴水、全身赤裸的男人衝了進來。

「好冷呀！」曼那欽大聲說。「借個光，」他伸手到戴頭巾的女人身後取了水桶，把水全倒在滾燙的石頭上。嘶嘶作響的蒸汽讓她幾乎看不見這兩名同一層的男人，這兒一下子人滿為患。「請別介意，」曼那欽一面嘟噥，一面試圖坐到米蘭妮身後去。

「喔，原來是你，」他喊道：「我還以為你不來了。」

「我回房後沒什麼睡意。」她答道

「我想有更多好理由值得你來，無論如何，歡迎你。你們認識嗎？」他指著那名裸體男子問，後者立刻伸出手來。

「你好，」米蘭妮邊說邊發現她的浴巾正從濕漉漉的胸口滑下來，那人伸手越過曼那欽，握住她的手不放。他看她胸部那種眼神，讓她暗恨方才沒有把浴巾塞緊一點。

「夠了，」曼那欽像裁判一樣分開他們的手。「我們先在這兒坐一會兒，等我暖起來。然後可以一塊兒去游一趟。你會游泳吧？」

米蘭妮點點頭。下層兩個男人出去了，接著，坐他們後面那個不動不彈也不說話的人也

走了，讓他們有足夠空間躺下來。米蘭妮屈起身體，雙膝併攏，毛巾圍在腰間。這種時候還把胸部遮住，似乎沒什麼意義。她看胸部的人早就有足夠的機會看個痛快了。何況她的乳房使她顯得年輕。至少賈斯汀是這麼說的。

彷彿心電感應似的，下層那個女人站起身來，吸引了上層所有人的注意。米蘭妮從她漠然的神情判斷，她約莫六十歲，斯堪地那維亞人，毛巾搭在一條手臂上，好像正要離開美容院似的。她走後，三溫暖裡就只剩他們三人了。

「你跟這些人認識嗎？」米蘭妮問，現在他們幾乎獨處，她試圖找個共同的話題。

「只有幾個，」曼那欽答道，配合她稍早的動作轉過身來，一隻手臂架在屈曲的膝蓋上。米蘭妮可清楚看見他的陰莖，做長時間視覺的愛撫。雖然他的目光既不色情，甚至毫無侵略性，卻讓她無法再審視他。「你真漂亮，」最後他讚許地說：「漂亮極了。不過你現在恐怕熱壞了，我們下水去吧。」話畢他轉過身，跟後面那個男人很快說了幾句話。

「你們說的是什麼語言？」她問。他們在池子游泳，兩人都游蛙式，節拍一致像鯨魚一樣抬頭換氣。

「阿拉伯話，」他說。翻身仰泳。

「他是誰？」曼那欽轉過身，淘氣地凝視她。「你是說他叫什麼名字？這你得拷問他。他是來自突尼斯的化學家。連這一點也不是他告訴我的，化學家是我猜的。他小便前先

洗手。只有化學家才做得這種事。」

「你從哪兒取得這麼有用的資訊？」

開始踩水的曼那欽咧嘴一笑。「我學會用心觀察。」

她說：「嗯，可是我怎麼不知道這次會議有突尼西亞人的代表？」

「他不是突尼西亞人。他只是來自突尼斯。」

「喔？」

「他是巴勒斯坦人，阿美德‧沙雷；最後一分鐘加入阿拉伯代表團的。所以原始的註冊名單上沒有他。我們回三溫暖去吧。說不定我們可以獨霸那兒呢。」

「中東人親吻他們沒法子砍掉的手，」曼那欽穿襪子的時候說。「在我們政府裡，有很多人企圖砍掉他們一隻手，但我覺得這不切實際。巴勒斯坦人想把我們兩隻手都砍掉，這更行不通。不談這種事了，告訴你，我在這兒見到你，真是又驚又喜。」

米蘭妮不為所動：「你已經表現出來了。」

「晚餐後，我邀你來三溫暖，我的動機其實是所羅門式的。」

「喔？」米蘭妮拖長聲音，發出一個滿含覬覦的抑揚頓挫。

「就像他邀請席巴女王到他那兒去。」

「好呀，好呀。所以我終於有機會聽到著名的曼那欽‧狄維爾演講了。法國大師說我不

該錯過的。」

曼那欽剛綁好鞋帶，站起身，米蘭妮捕捉到他目光中出現一抹出人意料的表情，幾乎可說是羞澀。

「就在這兒？」他問：「在這間更衣室？」

米蘭妮哈哈大笑：「說得對。這兒既不浪漫，甚至也不怎麼乾淨。你送我回旅館的路上再說吧。」

這是個晴朗的夜晚。曼那欽提議穿林而過。米蘭妮說：「你似乎對這一帶滿熟悉的。」

「我稍早來這兒開過另一個會。我們在涅蓋夫就缺這樣的樹林子，所以我每次來歐洲，都要去樹林裡走走。」

他們默默走了幾分鐘，曼那欽繼續說：「我通常一個人走──即使在家。但這一次……」他遲疑了一下，牽起她的手：「這樣可以嗎？」

「當然，」她說，回捏他一下。「現在，」她又捏一下他的手：「講所羅門王和席巴女王的故事給我聽吧。」

「好的，」他在黑暗中吃吃笑：「不過我要長話短說。我跟女人牽著手散步時不大會演講。」

米蘭妮把手抽回來：「如果問題在此，別讓我拖累你。」

「不，」他立刻說，趕緊拉起她的手⋯「碰到你以後，不接觸你的身體，我就會變成啞巴。」

奇怪，她想道，自從赤身露體並肩而坐以後，我們就變得像初入情網的青少年一樣浪漫。但她明白，她相信曼那欽也懂，剛才和現在不可相提並論。到外面游泳時，她直到跳入水中，才卸下毛巾。回來的時候，她也拜託他在水裡多呆一會兒。「曼那欽，在這兒等幾分鐘。讓我先跑進去穿好衣服。」

「當然，」他說，便漂回黑暗中。

「所有版本當中，這一則最短，但它讓你知道所羅門王身爲男人的一面。所羅門聽說席巴女王美貌絕頂，但她的腿和腳上長滿黑毛，像驢子一樣。」

「哎，少來啦，曼那欽，」米蘭妮喊道：「你怎麼知道驢子的腳長滿黑毛的。」

「你顯然低估了本席巴女王專家的學問，」他開玩笑說：「但正如所有席巴女王專家都知道，這個故事有個比較精采的版本，出自可蘭經，其中正是這麼說的：『她的腿和腳長滿毛，活像驢子。』可蘭經裡也談到她朝見所羅門王的情形，讓我再引一段。」他抓緊她的手，停下腳步，深吸一口氣。

她只看得見他強悍的臉部輪廓，深凹的眼睛，高聳的顴骨和接下去的兩道凹槽；就像雕刻匠下錯了刀，本來要刻兩個酒窩，不小心滑了手，變成更大的凹痕，更戲劇化地突出顴骨

的地位。

「『那兒有白色透明玻璃的地板，下面有流水，水中有魚。她一見就覺得是好水，於是露出雙腿，打算涉水而行；高居寶座面南而坐的所羅門王，就看到了她的美腿和美足。』」

曼那欽伸手撥開蓋在她眼睛上的幾縷髮絲。他的手指觸及她額頭稍縱即逝的那種感覺，令她顫抖——很愉快的感覺。

「很動人，然後呢？」

「你來告訴我，」他說：「就在這片林子裡。」

「說下去。」她緊追不捨。

「我開講前，先告訴我，你為什麼邀我去三溫暖。你想看看我腿上有沒有長毛？」

「不盡然。」

「說下去。」他重複道：「白天我們見面時，你的身體像席巴女王一樣包得密實——」

「所以我的毛衣和長褲讓你看不出我長什麼樣子？」

「看不出細節。」

他們已走到林中小徑跟大路交會的地方。走過街燈下，米蘭妮從他掌中抽出自己的手。

「你不會介意吧？」他問。

「你是指你對我身體細節的關注？」

「此外，還有我邀你去三溫暖的事。」

「介意我就不會去。」

她很好奇他下一句要說什麼，但曼那欽卻沈默下來。他的手插在口袋裡，腳步聲響在石板路上。

「你住哪裡？」最後她問：「我的旅館就在前面。」

「後面，學校旁邊，」他歪歪腦袋，比了一下。他把一隻手伸出口袋，極輕極輕地搭在她袖子上。「你本來要告訴我，你想像中席巴女王的故事如何結束。我想聽聽你的版本。」

「好吧，」她邊說邊往前走。「我這版本更簡短，因為快到我住處了：所羅門立刻愛上了她，向她求婚。」

「你若非浪漫過頭，就是不誠實，」曼那欽宣稱。

「我是浪漫——只要情況許可——可是為什麼說我不誠實？」

「因為你的話跟書上寫的一模一樣。」他聽來很失望：「你聽過這故事嗎？」

「沒有。」她答得很快：「我只是從所羅門的角度設想。」

「不是席巴女王的角度？」

「怎麼可能，到目前為止她一句話也沒說呀。」

「沒錯，」他聽來安心了一點，「事實上，可蘭經不及你浪漫。我們到了。」他在旅館招牌前面幾公尺的地方停住腳步。

「你不能就這樣打住，」米蘭妮喊道：「我要知道我有多接近原典。我要聽剩下的故

事。還有，你是猶太人，爲什麼會引可蘭經，而不是舊約聖經？」

她的話有戲謔意味，但曼那欽卻板起了臉。他說：「時間不早了，這也要花太多時間。」

「你想睡了嗎？」她問。

「還沒有，但我以爲——」

「那就請進吧，」她指指門口：「我一點也睡不著。」

「你坐椅子，」她指向擺設簡單的室內僅有的一張椅子：「我坐床上。」他們同時看見那件被丟棄的胸罩。她泰然自若一屁股坐上去，雙腿交叉。

「講下面的故事。我要聽所羅門如何求婚。」

「啊，是的。」曼那欽靠坐在椅上，手指頭交叉，兜住後腦杓，顯然很樂意把故事說得長點。「可能會讓你這麼浪漫的人失望了。『他很想跟她結婚；可是他不喜歡她腿上的長毛。』——」

「且慢，」米蘭妮喊道：「你說她有美腿的。」

「我說的就是他那雙美腿長的毛呀。可蘭經說：『所以魔鬼爲他製造了一種生石灰的除毛劑。』你一副很失望的樣子，米蘭妮。」

「我想是吧，」她趁勢嘴巴一嘟，故作姿態。

「不過，你自己的腿沒什麼好擔心的。」

米蘭妮豎起一根指頭，做警告狀：「只談席巴女王就好了。接下來呢？」

「根據可蘭經的說法：『他本來每個月去看她一次，跟她同住三天』——」

「就這樣？男人就是這樣。」

「你得考慮品質，他去看她的次數不代表什麼。」

「你還在引用可蘭經嗎？」她諷刺地問。

「不引了，」他從椅子上站起身說：「再來就是我自己的故事了。」

「求婚的部分呢？」她問，抬頭望著站在她面前的他。

「米蘭妮，我不是所羅門。」

第五章

「慢著，」米蘭妮制止他：「保險套呢？」

「你再說話，就變成純學術討論了。」

她牢牢握住他迅速軟化的陰莖，彷彿企圖阻止它繼續萎縮，喃喃道：「我們真的應該。」

「我用不著保險套，」他喘著氣說：「我不能生。」

很多星期以後，米蘭妮還記得他挑選的字眼：「不能生」，而不是「結紮」之類。但在克齊堡那一刻，這字眼只記錄在她的潛意識裡。「可是──」

「我們涅蓋夫的猶太人沒有你們美國人的毛病，」他打斷她：「起碼到目前是如此。趁問題發生之前──」她感覺他的陰莖又硬了起來。「帶我進到你裡面，」他求她。

「拜託啦，曼那欽！」她不肯放開手。

「好吧，」他滑出她的手⋯「那就用我的舌頭吧。」

那天深夜，他們裸身躺在狹窄的單人床上，敞開的窗戶裡吹進來的微風吹涼了濕潤、熱烈的身體。米蘭妮悄聲道：「今天下午，你問我是不是想跟你上床，真的嚇了我一跳。」

米蘭妮的頭枕在他左臂上。他右手的食指溫柔地掃過她面頰，彷彿沿著一條熟悉的小徑，來到她唇上。「你想的，對不對？」他低語道，再次輕拂她的唇。

「是啊，」她笑道：「但我永遠不會回答『是的』。你問的時候我有沒有臉紅？」

「不記得了。你讓我很意外⋯你太拘謹，應該不可能那麼性感，但又太性感了，不適合那麼拘謹。」

米蘭妮轉過身，仰頭面對他⋯「如果我告訴你，我從來沒做過這種事，你會相信我嗎？」

「定義『這種事』。」

「跟一個幾乎不認識的男人上床。」

「當然，我相信。」

「真的？不騙我？」

「絕無虛言。」

「為什麼？」

「因爲我也是這樣？」

「你？你不跟幾乎不認識的女人上床？」

「呃，」他遲疑了一下……「不會是才認識幾小時的那種。」

「哼，」她轉過背去，雙手捧腹：「告訴我你的一生。比方說，非洲。」

「非洲？」

「吃晚飯的時候，你說你在非洲學的餐桌禮儀。」

非洲！我這輩子最初的十八年都在非洲度過，但我幾乎從來不談這段歲月。成年後那麼多時間都在從事秘密活動，使個人的過去變成一本幾乎從沒被翻開的書。像這樣的人來問我非洲的事，離開迪莫納以來第一個跟我有……該怎麼說？……外遇？……一夜情？……的女人？我爲什麼不能給她一個簡單的答案？我們猶太人是否總是有這方面的問題？問外邦人從哪兒來，總會得到直截了當的答案。問猶太人，他卻會從頭解釋。

我一度對剛果很狂熱，但我很久沒想到它了。或是萊昂尼德。那則故事該怎麼跟她說？確實很奇怪。多少波蘭猶太人到過剛果？我不是說利奧波德維爾、史丹利維爾，或甚至位於基伍湖畔殖民者慣常去度假的柯斯特曼斯維爾。我指的是二〇和三〇年代那個窮鄉野地、人跡罕至的眞正剛果，不是金夏沙、基桑加尼，或今日薩伊的布卡塢，我說的是庫圖亞柏特國王的帝國前哨站，剛好夠大，可以派到一個比利時行政官戍守，外加一名士官、十

二名士兵，還有一個希臘小店老闆。它小到不值得比利時給它一個名字，我在那兒出生。我那個時代，公路鐵路都不到庫圖，但它近河，周遭包圍著硬木的林海。萊昂尼德在這兒建立了他的大鋸木廠，雇用上百名土著，那是在位於馬伊恩度比利奧波德二世湖）南緣的庫圖。馬伊恩度的意思是黑色的水，這個湖水色墨黑，因為注入湖中的魯克尼和羅克洛兩條河流，都被圍繞在羅克拉瑪澤森林裡的柯巴樹脂染黑了。有艘利奧波德維爾的蒸汽船，每個月來一次，每趟航程雨季要花八天，旱季要五天，這就是我們跟外界唯一的溝通。庫圖沒有無線電，也沒有電力。除了點燈用的煤油和萊昂尼德那條馬達船用的珍貴的汽油，所有其他東西，包括每個月來報到的蒸汽船，都靠木頭做能源。這方面的供應倒似乎是取之不盡、用之不竭的。

萊昂尼德跟一般人最大的不同，在於他無中生有的本事；即使不是真的從「無」到「有」，最起碼，最後的成品也跟原始材料毫無類似之處。他在比利時的干特唸過工程，但是精通機械和學習新技術的神速恐怕是遺傳，他連開飛機都一點就通。

用河流運輸木材是很好的交通工具，他甚至自己打造了一艘蒸汽動力的駁船。但走水路往返首都，總讓萊昂尼德很不耐煩。十三歲的時候，萊昂尼德教我駕駛柯德隆—拉德柯型飛機，就是因《小王子》的作者聖艾修柏里而成名的那型。我是先學會獨個兒駕駛雙翼飛機，自行解決各種問題，然後隔了好多年才學會開車的。但萊昂尼德教我的還不止於此。

他蒐羅的圖書在中非洲私人藏書中想必首屈一指，但我永遠不知道他怎麼辦到的，而且在那種足以把紙張更結實的東西都化為霉垢與塵土的氣候裡維護得極好。我們有一棟用手工砌造的磚塊砌成，寬敞的大房子，墊高離地約一公尺，鉛皮屋頂，房子四周都有陽台圍繞。磨石子地上打上紅蠟，雖然白蟻的危機永遠存在，不過內部結構使蟻窩無所遁形。當年還沒有ＤＤＴ，我們用一種叫做蒼蠅毒（Flytox）的藥劑，每天黃昏有個侍僮拿噴筒噴灑。我們的食物放在有紗門的櫥櫃裡，這櫃子擺在中堂，櫃腳擱在裝水的空罐頭裡，上頭還澆一點煤油。萊昂尼德宣稱，中號的歐立達（Olida）火腿空罐最理想，這是我一直牢記的許多古怪資訊之一，但我絕不可以向猶太教拉比吐露這種事。直到今天，我還記得水面上那種變幻莫測的黃、藍擾射紋圖案，讓年幼的我深為著迷。

跟維護圖書館的工夫相比之下，儲藏和保存食物的工作簡單多了，因為食物最終的作用就是給人食用，而書的保存期限卻沒有止境。萊昂尼德說，他的圖書館不長霉的秘訣就是保持乾燥。長期保持通風，在任何季節都是苦差事。沒有電力的時代，這全靠侍僮，他的工作是把擱在簡單的木架上的書，經常打開和搬動。我們給他取名托特（Thoth），這是埃及的知識之神，他翻書的聲音就像職業賭徒在洗牌；躲在書裡正忙著傳宗接代的蟑螂聽到這種聲音，一定會以為世界末日到了。

托特的轄區有多種語言，那些書包括法語、弗蘭德斯語、英語、德語，因為萊昂尼德是個語言學家，我更走運的是，他堅持在我面前與我母親交談要同時說法語和英語。我們不光

是讀莎士比亞，還扮演各個角色，不限性別。我在庫圖度過的少年時代，最精采的一段回憶，就是萊昂尼德演出馬克白夫人，兩手鮮血地走進只以燈籠照明的房間，當時他沒穿上女裝，手上染的是石榴糖漿。

即使在當年，大約一九三〇年代中期，萊昂尼德就嫌我的英文不夠好。他崇拜沒有口音的多語能力，而我的庫圖英語雖然有莎士比亞、狄更斯、布朗蒂姊妹的薰陶，卻不盡然沒有口音。萊昂尼德也堅持我嚴格遵守用餐禮節；萊昂尼德這來自波蘭的猶太人，在剛果深處以虛擬的盎格魯式頑固，可笑地堅守最嚴格的用餐禮節：在熱帶的潮濕中，我們得換上正式服裝才准用晚餐，清潔的白襯衫、打領帶、穿長褲、剛擦亮的皮鞋。我相信即使餐桌上只有沙丁魚和吐司，萊昂尼德也要打上領帶，這是我中年的信念，而非兒時的幻想。我十四歲時，他用把我送到開普敦去讀南非最好的英語寄宿學校，他選中這所學校的用意，倒不見得在於英式貴族教育的校風，而是因為這個學校特別重視用餐禮節、服裝規範，以及足球。萊昂尼德認為，近身相搏的團隊運動，可以快速彌補我過去很少跟白種男孩接觸的缺陷。

我在南非住了四年，沒回過剛果。一九四〇年代初，萊昂尼德召我回去，因為他知道戰火必然向南擴散。我們一起從利奧波德維爾飛到庫圖，靠地圖和目視導航，找到航空地標：穆西附近那條黃黑二色的線，也就是黃色的卡賽河和黑色的菲米河交會的地方。河水流經好幾公里都不混合，最後黝黑的菲米獲勝，它攜帶來自利奧波德二世湖的柯巴樹黏液。那是我最後一次踏上庫圖鋸木廠附近的泥土跑道。一年後，還不滿十九歲，但自稱二十一歲，我說

服奈洛比皇家空軍讓我加入。雖然我比他們召募的所有兵員更懂飛機與飛行，但我得以接受軍官訓練，其實是靠用餐禮節和口音。

萊昂尼德一定會愛死我的面試。他一定會洋洋自得：「瞧，我就知道那所學校對你有用。」他永遠不知道，他對英式殖民衣著規範的熱中並未在我身上生根。

是戰爭的力量。我從未告訴過他，即使那麼遠的距離外，我也怕招他不悅。不過我倒喜歡設想，萊昂尼德會欣賞我在北非戰役中遇到的那些巴勒斯坦猶太人，全都是猶太建國主義者，他們說服我以皇家空軍退伍軍人身份，在曼徹斯特接受工程方面的訓練，然後加入哈加納。（Hagana，譯註：猶太建國主義的軍事組織，以色列建國前，在巴勒斯坦從事激烈的恐怖活動，以色列建國後，被政府收編成為國家的軍隊。）雖然這些人全都不打領帶。不過我就是沒法子把這話寫在寄回庫圖的家書裡，我們再也沒有見過面。

「上帝保佑你，萊昂尼德，我的父親，雖然我從來沒稱呼過你『父親』。」

曼那欽喃喃道：「你要問非洲的事？下次吧。」他俯過身親吻她，像長輩一樣吻在前額：「我得回房去了。有人一早要打電話給我。」

第六章

克齊堡真正的工作都是在分組討論中完成。

現在是第二天，開幕儀式和初步的大會討論都已告一段落，工作坊分散到小學各間教室。教室都相當大，可容納數十名學生的室內，課桌椅圍繞講桌（唯一配合成人身材的家具）排成環形。人口問題與經濟成長小組有幾個塊頭比較大的男人，根本連試都不試就一口回絕原來的椅子，只好往外頭找。參加者還在陸續進場，還算塞得進課桌椅的米蘭妮坐在椅上，用手托著下巴，望著窗外陽光下聖沃夫岡大教堂的銅頂尖塔。她照例挑了一個位於邊緣的位子。這樣可以距那些似乎在歐洲人當中佔多數的菸槍遠一點，而且視野較佳。她通常都能善用這一優勢，仔細端詳可能共事的對象，測定他們的知識深度，把人跟名字配對，然後再加入討論。但今天早晨，她的視線卻飄到了窗外。她很想知道曼那欽的教室是否也看得到教堂，還有他是否也在想著明天。

在旅館的時候，她提議道：「我們翹掉星期三去塞默林觀光的行程，一塊兒去維也納好不好？」

「做什麼？」他問。

「那你就不用煩心了。」她邊說邊用手指撫摸他的嘴唇，直到他用牙齒一口咬住。滿痛的。

「可以跟你坐嗎？」律克‧莫倫的聲音把她拉回現實：「還是你寧可一個人？」

「不會，請坐。」米蘭妮指指鄰座。莫倫是個瘦削、修士型的法國人，黑中夾白的頭髮剪得極短，他把身體塞進窄小的位子，看得出費了好大勁。

「不會打擾你吧？」他晃晃手裡的香菸。

「儘管請便，」她沒什麼誠意地說，不過對他的禮貌已經很心領了。如果她知道大師基本上一天只用一根火柴，說不定會改變心意，他永遠用前一根菸的殘骸點燃下一根菸。

「昨晚我在餐廳裡看見你跟狄維爾在一起。」

「是啊。」她說：「你跟他有多熟？」

「曼那欽先嗎？」她喜歡他用法國腔發曼那欽的名字，聽起來溫柔多了。「有一陣子，非常熟。」

「現在呢？」

莫倫不停搖晃著腦袋，直到用一口高盧（Gallic）煙霧噴出他的輕蔑為止。「差得多了。」他用鼻子噴出煙霧。

「講了，」米蘭妮笑起來。

「哪一個版本？」他拖長鼻音問。「他有沒講席巴女王的故事？」

「開始了，」他指指小組討論的主席，後者已經開始用筆桿敲杯子。

「一塊兒吃中飯吧，」米蘭妮悄聲道：「我想聽聽你認識的那個曼那欽·狄維爾。」她想，歸根結柢，她之所以會跟曼那欽上床，還不都是大師起的頭。他最起碼也該回答幾個跟她的情人有關的問題才對。

米蘭妮很快就發現，莫倫一次只做一件事。食物上桌後，米蘭妮就懷著敬畏與挑剔的心態，看著大師進攻他的沙拉。

他的叉子變成一種武器，每次刺殺兩片、三片，甚至四片生菜葉。前一叉剛送進嘴巴，就再度開始狩獵：小番茄、黃瓜片、胡蘿蔔，更多的生菜。他絕不挑三揀四；從盤子右邊往左邊吃，刺穿最好上手的獵物，逐一吞嚥，每口只咀嚼兩三下。盤子吃空後他才抬頭，接觸米蘭妮驚訝的凝視。

「什麼事？」

「我只是好奇，」她很快恢復自制：「你在薩克雷專攻核子物理，不是嗎？我還以為你

會加入限武那一組。」

大師拿起在菸灰缸一側冒煙的香菸，深吸一口，讓它恢復生氣。他點點頭：「沒錯，我最初來克齊堡，就是因為東西方之間的幾乎沒有干預通道。」

干預通道，多好的詞彙，米蘭妮想道，聽起來活像巴黎的某條通衢大道。

「克齊堡有些成績。要不是靠這些會議使俄國人對我們，還有英國人，尤其是美國人產生信心，一九六三年的禁止核試條約就不可能簽署。」

米蘭妮聽過這故事。所有克齊堡的新人都會被告知這項極具戲劇性的早期成就。「那麼你是核武的鴿派囉，律克？我叫你律克好嗎？」

大師咧嘴笑道：「好是好，不過不要發音成『路客』。」他模仿米蘭妮的發音，刻意拉長母音。「應該說律克。還有，是的，我現在是鴿派。」

米蘭妮湊向前：「可是從前不是？」

「不是啊。有陣子我跟狄維爾一樣。」

「你是說他是核武鷹派？」

這下子正好碰到大師不用火柴的香菸火苗薪傳手續。他深吸一口氣，將舊的菸頭在菸灰缸裡按熄，新點上的高洛瓦絲菸含在嘴裡，火頭指點著她，彷彿一枚已經燃著的飛彈。她把飄過來的縷縷輕煙當作肯定：「那他現在還是嗎？」

他聳聳肩。「你得問他自己。我一直喜歡曼那先的一點，就是舉凡他相信的事，他都敢

公開說出口。」他停下來，吸了幾口菸。「我現在比較不喜歡的是，他似乎也對自己說出來的每個字都深信不疑——起碼是跟以色列和核武有關的方面。」她朝想像中的某間教室的方向揮揮手。

「可是他怎麼會是鷹派呢？那他怎麼沒參加核武工作坊呢？」

「他參加的是區域衝突工作坊。」

「正是如此！所以他才一直是鷹派嘛。不過，話說回來，他是以色列的猶太人，我是法國的天主教徒。前天主教徒，」他補了一句，並用力把香菸捏熄，以示強調。他盯著菸頭看了一會兒，似乎對自己這種行為感到驚異，然後開始在口袋裡到處翻找火柴。

米蘭妮耐心地等大師重新點燃另一根菸。「你們是在哪兒認識的？」

「在貝爾旭巴，」他的回答簡單扼要。

米蘭妮吃了一驚。她一直以為他們是克齊堡的老伙伴。可是他們是在以色列認識的。她問：「那是什麼時候的事？」

一股新的煙霧噴向她：「六〇年代。」

「順便問一下，」米蘭妮刻意避免接觸莫倫的眼光：「曼那欽結婚了嗎？」發問的時機不過遲了幾秒鐘，卻就此讓她等了好幾分鐘才得到答案。女侍正好上菜，大師全副注意力都投注在盤子裡。

我該殺了那名女侍，米蘭妮想道，但她自己的注意力也隨即轉移到食物上。她沒來得及吃完第一個菠菜餃子澆蘑菇醬——味道非常好——就又有一陣煙噴到她盤子上，接著是莫倫

的聲音。

「結了，」他說：「你幹嘛問？」

米蘭妮忙著吃第二個餃子，將它切成小塊，然後把刀擱在盤子上緣，改將左手的叉子換到右手。這會兒，她對美式用餐禮節的缺乏效率滿感激的。餐具不換手的歐洲用餐方式，就沒那麼多時間好拖延的。

「只是好奇，」她邊說邊費了遠超過實際需要更多的拐彎抹角，小心翼翼地叉起一小塊餃子。

莫倫狠狠吸入一口菸，在胸腔裡停了很久。米蘭妮差點以為他把菸都吃掉了，然後他往後一靠，緩緩把菸噴向天花板。

「你沒問他？為什麼？」然後他望向她，睿智、犀利的眼神透過煙霧檢視她，讓她膽寒。

「我覺得那樣有點侵犯隱私，」她說。管他的，如果他都看得穿，就隨他好了。「她是什麼樣子？」

「她？」

「曼那欽的太太？你見過她嗎？」

「第二任狄維爾夫人，我是見過的。」

米蘭妮好容易控制住自己。她無力再追問下去，但不代表她不想這麼做。她端起杯子，

喝了好幾口水。

莫倫兀自在吸菸，目光停留在裊裊飄向天花板，逐漸消散的菸圈上。這陣沈默開始讓米蘭妮手足無措。

「所以一共是兩個太太囉？」她終於說。

莫倫一隻眼睛轉下來看她，點點頭。「曼那先跟他的助理有染。要是在巴黎，」他聳聳肩：「誰知道？三人行也不是不可能。但是在迪莫納？那可就是眾人心目中的大醜聞。你呢？」他望著米蘭妮：「你會跟大廚或教授有染嗎？」他搖搖頭。「不會的。看看你的表情，我敢說你不會做這種事。連你最瘋狂的想像中都沒有這種事。」

想像？二十三歲時也許不會。在哥倫比亞大學念研究所二年級時，我腦海裡大概真的沒有這種事。我是天蠍座，一九三九年出生，完全錯過了六〇年代的性革命。但我常想到——尤其賈斯汀死後——如果我二十郎當歲時到處濫交，做了寡婦後的性生活會不會有所不同？我懷疑。這完全不像我會做的事：我太謹慎，甚至太拘謹，一點小小的性脫序行為就足夠滿足我，也太擅長自給自足。倒不是指性這個方面，雖然我在很年輕時就有本事滿足自己。我想到的其實是事業上的獨立；如果我是那樣，我是否還會認識曼那欽幾小時就跟他上床？

賈斯汀火化的第二天，我就面臨這樣的問題。

我的高中和大學學業都完成於前避孕藥時代。一九六〇年，我從荷利猶克山女子大學

（Mt. Holyoke）畢業時，還是個處女。我的很多同學也都是如此。上女子大學當然使這件事更爲容易些二（意思是說，如果你以保持處子之身作爲目標的話。不過我們大多數人的確當它是個目標。）荷利猶克的化學系很強——我相信是七姊妹大學中最好的——我畢業時就下定決心，先拿到博士學位才考慮結婚。研究所隨我挑，但我比較喜歡留在東部，所以選了哥倫比亞。我已經好幾百年沒想到研究所第一年的生活了。那時我決定攻讀生物化學，在哥倫比亞，這代表我得去西一百六十八街和百老匯大道口的醫學院工作。如果我選擇純化學，就在往南五十條街的校總區上課，那就不可能碰到賈斯汀，不過早在遇見他之前，我就失去了童貞。我不知道怎麼會用這麼奇怪的字眼，因爲我並非眞的失去它，我其實是在系上的暗房裡，相當心甘情願地把它送給一個極其聰明、更要緊的是又非常性感的助教。這麼做非但不合法，甚至很危險：萬一有位教授，更可怕的萬一正好是我新上任的論文指導教授賈斯汀·連德蘿撞進來，一開亮燈，發現米蘭妮·薩德蘭伏在顯微鏡上，裙子拉到屁股上，用牙齒咬住裙邊，助教在後面賣力推送，會有什麼後果？那一點也不浪漫，但是很好玩，起碼從第二次或第三次開始時。接下來幾個月，那個性感的助教和我，挑了實驗室裡另一個更加危險的地點。現在回想起來，被逮著的危險比性行爲本身更刺激。

　第二年，我成爲賈斯汀實驗小組的一員，組員包括研究生和博士後研究員，人數自八到十人時有起落，另外還有兩名技術人員。賈斯汀很棒：生化學家中的生化學家，思慮深入又極富創意，而且未滿四十歲，已經執酵素研究的牛耳。他每天至少跟我們每個人在實驗室討

論一次，有時兩次，但他花在我身上的時間似乎總多那麼一點。我以爲那是因爲我在研究生當中是個新生，經驗也少。最初，我眞的以爲這是唯一的理由。我在哥大讀第二年的時候，有一天，一個實驗即將完工，晚上快七點了，是實驗室裡人最少的時候，賈斯汀跑來，邀我跟他一塊兒去附近的義大利館子吃點東西。我肚皮正餓著，他的邀請讓我受寵若驚，所以我欣然接受。那間餐廳沒什麼特別，但我還記得那餐販，甚至我們吃的東西。侍者過來點菜，我要了蔬菜湯，賈斯汀說：「我也一樣。」主菜我點蘑菇千層麵，「一樣，」賈斯汀說。點甜點時，我不等他開口就搶先說：「兩客甜酒布丁，對吧？」他笑了。

賈斯汀不消說是個工作狂。可是三十七歲就當上哥倫比亞的正教授，還是國家科學院的院士，若非靠熾烈的工作狂熱支撐，絕對辦不到。雖說工作狂有助於事業發展，但依我看，這對當事人所剩無幾的人生，通常都有害無益。可想而知，賈斯汀還是個單身漢，不過表面上也看不出他對此有什麼不滿。

我們隔了兩個月才第一次約會。那是個星期天，實驗室科學家唯一離開工作崗位不會產生罪惡感的日子。一個典型教人目眩神馳的十月天，我們沿哈德遜河往北開車，沿路所有的樹木彷彿都披上來自東方的錦毯。我們到剛開張的史東金藝術中心，遊客很少，兩人在大衛‧史密斯的雕塑作品間歡躍。我們跑到山頂上，在彩色斑爛的秋林裡野餐和第一次接吻。這是眞的，他的人格魅力最先從雙眼煥發出來，牢牢攝住你的眼睛，不容脫離。談到研究，他的雙眼精光直射；談到愛情，

當時我開玩笑說，他吸引我的是那雙眼睛而不是他的大腦。

就像在愛撫。世上多少男人有雙會愛撫的眼睛？

隔了好幾個星期，說不定好幾個月，我們才一塊兒上床。賈斯汀不希望人家知道他跟研究生「有染」，雖然我已經是有自主權的成年人。我們出入他的公寓，都要避人耳目。我們的肉體接觸非常傳統而動人：點燃燭光，開一瓶上好的紅酒（先讓它「醒」一段恰到好處的時間，這是我深諳品酒之道的未來夫婿教我的），背景音樂是維瓦第，床頭櫃上有已經剪開的塑膠包裝的保險套，跟我在暗房或實驗室其他地點與助教的短兵相接有天壤之別。但在某種意義上，更受珍惜，因為賈斯汀體貼我的感受：即使在床上，他也總是呵護著我。

我想實驗室的同事至少有一年的時間都毫不知情。我跟賈斯汀共處的時間愈來愈長，有時一連四、五天。但我還是保留在海文大道巴德館租的房間，也每天都去報到，至少去拿信。直到研究所第四年我快完成學位的那個夏季，我們才拋開顧忌。一天早晨，我們一塊兒走進實驗大樓，同組唯一的另一位女性，一個來自加州、名叫琴的女孩當面問我：「你跟賈斯汀在談戀愛嗎？」別人都叫他教授或博士，只有這個來自聖塔芭芭拉、一副衝浪高手架勢的琴叫他賈斯汀。我被她的問題嚇了一跳，頓時脹紅了臉。

奇怪。我記得我們第一次共餐和初吻的細節，甚至記得他第一次帶我去品酒，還有他滔滔不絕的酒經：「強烈衝鼻的異國情調，熱烈糾纏的胡椒與黑醋栗的滋味，還有淡淡的馬糞味……」第一次聽他說「馬糞」，我差點被那口酒嗆住。賈斯汀絕少用那麼粗鄙的字眼，我也不知道對於某些法國酒而言，微弱的馬排泄物氣味是項優點。他手裡沒有酒杯的時候，我

也從未聽他說過或寫過「強烈衝鼻」、「熱烈糾纏」之類的字句。在床上就更別談了。

米蘭妮直視大師的眼睛：「我滿有想像力的，有時候，這種因緣——」

「我們法國人都直接說關係，不說因緣。」他打岔道。

米蘭妮聳聳肩：「我正在講法文嗎？關係聽起來，好像比較……嚴重。」

「嚴重？」他大笑。「這個字用得好，用得貼切：曼那欽娶了書拉密（Shulamit，意為

「公主」，舊約聖經中以之稱讚集眾美於一身的新娘，見《雅歌》）。」

我想不起賈斯汀何時求的婚，或甚至他有沒有求過婚。某天早晨，大事就這麼底定，我們即將結婚。賈斯汀並沒有直截了當辦妥婚事，讓我登上教授夫人的寶座，反而給我一枚訂婚戒指，讓對世事還相當懵懂的我，陷於尷尬的處境。即使在六〇年代較年長的學術界人士中間，訂婚也已經過時了，但此舉卻讓我感動得要死。

賈斯汀提議等我一拿到博士學位就結婚，雖然這是讓我們師生加速完成論文的誘因，但我們的訂婚狀態仍然持續了兩個學期，現在回想起來，那真猶如大學煉獄。以賈斯汀帶領的那麼小的一個實驗小組，所有成員關係都很密切。但只有當這種關係突如其來地煙消雲散時，你才會明白大家密切到什麼程度，當我的訂婚戒指發出第一道閃光，我就落入了這種境況。

大師還說，他認爲我無法在想像中跟自己的廚師有染！賈斯汀是位深受愛戴、敬重的領袖，但底下的人還是會講閒話，通常只是些好玩的八卦。他一談起葡萄酒那副神氣活現的模樣，實驗室的人都很熟悉：賈斯汀那口酒經——在我聽來是幽雅的音樂，但對於只會大口灌啤酒的博士後研究員而言，不過是小題大作、裝腔作勢；連廉價的大瓶裝葡萄酒，都可以形容爲「口感寬厚，質地勻稱」，宛然高級起來。有一天，我們組裡一個英國來的博士後，模仿賈斯汀的酒經，擬了一封薦任某個學術職位的推薦函——穿插了「平衡」、「令人印象深刻的良好構造」、跟「最後潤飾上略嫌粗糙」、「需再做沈澱」等形容詞。我剛好走進來，聽到的部分足以令我相信它很好笑。但他一看見我就住口，顯然覺得很不好意思。我很快就知道，跟教授枕邊細語的人，會被排除在實驗室的八卦圈之外，甚至失去閒聊的資格。

訂婚的問題在於，你既不是老婆（傳統而有婚約保護），也不是情人（可爲所欲爲卻沒有法律保障），而是一種最糟糕的組合：傳統又沒有法律保障。所以我拼命完成最後幾個實驗，寫論文，同時跟我的未婚夫兼指導教授上床。我大可以再寫一篇論文，討論跟自己的論文指導教授訂婚的好處（事實上只有一個：隨時興起就可以做愛）與壞處（極多，而且持續的時間都比性行爲長久多了）。

度蜜月期間，我親愛的新丈夫以他一貫的洞察力，發表了一個非常重要的見解：「成功的婚姻當中，夫妻雙方可以是情人、朋友、伴侶。能做到三者之一就很不錯了，能結合兩者，令人欣羨，三者兼備，那眞是——！」他大可以用品酒那套天花亂墜的誇張辭句，但我

覺得他用眼睛和臉部表情做的驚嘆號更具表達力。我們一九六五年結婚，當時我即將二十六歲，賈斯汀剛滿三十九。十年後，因為醫生在一場微不足道的小手術中怠慢輕忽，使我突然成了寡婦，終身抱憾。

如果要我根據賈斯汀的尺度評估我們的婚姻，我認為最起碼也算得是「令人欣羨」吧。我們的情人階段很短暫，辦完結婚手續時已經差不多結束了，但我們的合夥關係卻很穩固，不僅始於實驗室，而且從實驗室一直持續到家中。婚姻生活後來的幾年，我跟丈夫是實驗搭檔，他從不用自己的聲望壓倒我，互相尊重就是深厚友誼的基礎。

研究所時代的同儕逐一離開，我在新的實驗小組成員面前，轉變為教授的代理人；賈斯汀請假時我還為他代課。我不介意，因為在某種意義上，我也是連德蘿教授。賈斯汀發現這很管用，逐漸就不再因為沒有每天到實驗室而有罪惡感，他的諮詢、擔任委員等業務更加繁忙。賈斯汀常說：「處理行政的活力，世界就靠這玩意兒推動，尤其在科學方面。而你，米蘭妮，天生有這種活力。」每逢他到國外出差，參加大型會議，出席北大西洋公約組織的小組討論或領獎演說——我總是隨行。

說是隨行，好像我蓄意倚仗他，或許因為這是從寡婦的角度回憶，而不是妻子。公平地說，其實賈斯汀要我同行不是扮演妻子或同伴，而是做為他深心尊重的科學合夥人，我們的耳鬢廝磨、枕邊細語，都可能與生物化學有關。他的尊重使我渾然不覺，做自己丈夫的研究伙伴，做分潤他研究經費的實驗，很可能使我在旁人眼中受輕視、受貶抑。但賈斯汀去世才

幾星期，我就發現了真相。

我們沒有小孩。賈斯汀從來沒說過不要小孩；他只是從未表示過想當父親。一心一意想在科學界揚名立萬的我，也很輕易就把母職暫且擱置一旁。再過幾年，就會有很多時間處理這件事，我盤算著，但時間不斷流逝，我們的私生活跟實驗室的關係愈來愈密切，作母親的念頭逐漸淡化。

沒有子女，對我們的社交生活是一項大衝擊。學校、孩子的運動會、童子軍等等花樣多端的社交場合，我們從未涉足。我們來往的朋友大多是學術界同儕，因為賈斯汀年紀輕輕就攀升到崇高的地位，跟他平起平坐的人起碼也在五十歲上下，換言之，跟我已是不同世代的人。

我仍然做為妻子，不介意。事實上，我是這類場合最年輕的女性，也是專業領域中地位最高的女性，頗覺沾沾自喜。我因自大而忽略了那是因為其他人的妻子大多屬於上一輩，她們提供的支援是在家庭，而非實驗室。我成為寡婦後，他們一夜之間就把我剔除在外。

唯一的例外是弗教授一家，但他們遠在波士頓，而且我們婚姻存續期間，賈斯汀和我也只偶爾在科學會議的場合，或他們來紐約觀賞大都會歌劇院的演出時，才見到他們。我搬到曼哈坦之前，也看過幾次歌劇，但全靠菲力與雪莉夫婦不斷慫恿我們同行，我才變成現在這麼一個歌劇迷。賈斯汀死後，菲力和雪莉不但前來悼念，還一直保持聯絡，直到今天──他們的善意我會永銘心中。

守寡最初那幾個月，並不像我以為的那麼傷痛。我忙於挑起賈斯汀留下的科學研究和照顧實驗室同仁的全責。我大概指望哥倫比亞扶正我研究合夥人的身份，給我一個機會，循正常管道尋求取得終身教職。我知道我資格夠，但系上只看到賈斯汀盛名的陰影籠罩在我靠自己能力完成的成果之上。或許我該以「米蘭妮‧薩德蘭」的名字出版著作，不該用「米蘭妮‧連德蘿」，因為「連德蘿」這姓氏──至少在我們系裡──只能配「賈斯汀」這個名字。但是若沒有正式的學術職位，我就沒有資格擔任研究工作的領導者；沒有這頭銜，我就無法對外申請經費。行政作業上，我跟系裡其他的研究領導者不同，但名分上我什麼也不是。賈斯汀的經費花光時，我發現自己簡直就要淪落街頭了。

我有兩條路可以走：到別處謀教學職位，成功的可能性極高，但我必須從基層重頭開始，要嘛我還可以到學術圈外找比較好的職位。但我已經被寵壞了：我嘗到過權力的滋味，儘管它只是扮演一個有權有勢的男人的代理者。我決定兩者都要：某種程度的獨立權柄，並且利用它在學術圈呼風喚雨。最終的分析，金錢是權力的終極通路。我很幸運有機會掌握一大筆錢。

瑞普康基金會的法律顧問，建議創辦人雅典娜‧康波貝洛把她預定要留給後代的遺產──他稱之為「主體財產」──在二十年當中花光，而不是建立一個傳統式的基金會。他聲稱以這種方式，康波貝洛基金會每年可以分配更多錢，有更多影響力──尤其在避孕研究之類長年經費不足的領域。

專攻生殖生物學的菲力，對自身領域的新經費就像獵找松露的

豬般敏感，他在瑞普康剛開始籌措的第一天就得到風聲。它的醞釀期間，他進一步打聽到他們正在找一個董事，就立刻打電話給我。其他已寫入歷史：我個人的歷史。雅典娜和我一見如故。我有三大優點：我是女性；我年紀夠輕，二十年後瑞普康解散時，我尚未步入老年；我還是個科學家。我在哥倫比亞內科與外科醫學院的門牆下深造、做研究，而康波貝洛最關心醫學方面，這就構成決定性的優勢。

似乎瑞普康的工作解決了我所有的問題：提供職業上的滿足，財務上的獨立，又沒有謀求終身職必定要經歷的種種折磨。但我同時也面臨學術界所有「雄性」的熱烈追求。它解決我所有的難題，只除了一點：生殖時鐘愈來愈響亮的催促聲。

「有小孩嗎？」米蘭妮還沒來得及思考，這問題就脫口而出。她想起被曼那欽說服不用保險套，不禁有點擔心。

「沒有。」莫倫搖搖頭。「他們有別的問題。」

米蘭妮想了一下，不知該如何追問是什麼樣的問題，而不致顯得太追根究柢。大師已封鎖了機會。

「你問這麼多有關曼那先的問題，為什麼？」

「你說得對，」她湊向他，露出一個希望能解除他武裝的甜笑。「咱們該談談你。你為什麼會參加人口問題小組討論會？」

大師兩手一攤，不是為了賜福，因為他指縫間還夾著香菸，而是一種放棄的表態。「這不是我的專長。這世界即使沒有被氫彈毀滅，也可能被人口炸彈滅亡。我要聽聽你這個小組的意見。其他議程我還是以我的炸彈為主。」

「我要全神研究核子恐怖主義的風險，這關係到每一個人，即使對我們的朋友曼那先這種鷹派而言。只要問他以色列對核子擴散的定義，就會知道其他問題上的歧見有多嚴重。」他哼了一聲……「不過我是個樂觀主義者。幹這一行就得如此。你也一樣。」他用香菸指指米蘭妮：「甚至你還需要。」

「你憑什麼覺得樂觀呢？」

「第一點：一九六三年的部分禁止核試協定。我告訴過你，克齊堡在這方面出了力，可能比一般人所知的更多。第二點：一九六八年的禁止核子武器擴散條例。」

「可是你剛提出以色列。那印度、南非——」

「儘管如此，」他噴出一口深思的煙霧。「我們還是有些進步。以第三點而言：四年後的反彈道飛彈條約。我知道，進展非常緩慢，但仍然……所以我才希望大家把重心放在新東西上——這是個可怕的問題，不過也是個樂觀的問題……有一天，我們會同意逐漸銷毀核子武器。樂觀者認為這是好消息。但是好消息的相反是什麼？」

「壞消息？」米蘭妮說。

「一點也不錯！壞消息就是被銷毀的核子彈頭該如何儲存和處置……每一顆含有五公斤的

鉓！有的技術專家說，何不用它充當能源，供應給反應爐，或供應給我不知道的什麼別的東西。人家宣稱，這就像輻射鈷⋯會致癌，但也可以用來治療癌症。」他忽然停下來。

「我說得夠多了。」他把香菸在菸灰缸底捏熄。「去問別人吧。問曼那先。也說不定你有更有趣的問題要問他。」

第七章

「我看到你跟大師一塊兒吃中飯，」曼那欽說。下午去參加討論會途中，他與米蘭妮不期而遇：「你對他作何感想？」

「他人滿有意思的，」她不正面作答。「你跟他熟嗎？」

他們並肩穿過走廊。他停下腳步，面對著她：「你問過律克這個問題嗎？」

他突如其來的直率令她一陣慌亂。她脹紅了臉答道：「是啊，不過不同狀況下——」

「他怎麼說？」

「他一度跟你滿熟的。」

曼那欽一領首：「到目前為止還算不錯。我跟他是彼此彼此。」

「你是什麼時候認識他的？」她問。

「你沒問過他？」他們仍然面對面而立。這番對話的發展方向有點出乎米蘭妮意料之

外。旁人聽見對話，恐怕不會當他們是朋友。她是否觸動了他某種潛在的不安？從他的表情判斷，答案是肯定的。

她決定不兜圈子。「我問他地點，他說在貝爾旭巴，但問他時間，他就含糊其詞。」

「我很驚訝他會告訴你這麼多。」曼那欽短短一笑：「儘管他說得再少，也不完全是事實。」

「他還說你是鷹派，」米蘭妮說：「核武鷹派。」她趕快補充，覺得每說一個字，就介入愈深：「以色列的核武鷹派。我想他沒有指控的意思。」

曼那欽怒目道：「也許沒有。不過我到現在還是不喜歡被人編排塞進鴿子籠裡。那兒只適合鴿子，不是人待的。」

最後一句話似乎讓他開心了點。他扶起她手臂，領她沿著走廊前行。他說：「我想你今天下午最好把人口問題忘掉，來聽聽區域衝突吧。早晨我聽了一大堆阿拉伯佬的廢話。我們的主席是奧地利的布魯諾・克萊斯基那一型的⋯他不斷退縮，不斷往後靠，最後簡直是四平八叉躺在地上。我已經叫他今天下午往前靠一點。」曼那欽露出牙齒，彷彿在微笑。「你的以色列老鷹打算展現一下老鷹本色。」他擠擠眼睛：「要不然我也要拍幾下翅膀。」米蘭妮覺得他一下子變得精神抖擻，活像一個正要在女朋友面前大顯身手的青少年。

「那我非得去看看不可，」她跟在他身後走去。

「『某些人最大的心願就是報復，另一些人卻只想保住荷包。』」有個人手裡捧著一張紙，正在單調地唸著。「『他們大部分時間都用於推行自己的主張，幾乎不考慮什麼公共建設。』」今天下午的議程一開始，請容本席引一段古希臘史家休斯戴狄斯的話。他最後說：『因為人人各懷私心，各有所圖，共同的目標無形中就瓦解了。』我補充說明一下，這是紀元前四百年寫的。讓我們希望，紀元後一九七七年，我們在克齊堡的表現會有所不同。」他放下眼鏡，轉向曼那欽。

曼那欽嘟囔道：「只有中立而且沒有生存問題的理想主義者，才會提出這種論調。甚至現代希臘人也沒法子跟著休斯戴狄斯走。」

「狄維爾先生，接著就請發表高見。」奧地利主席讓賢說，似乎刻意喚起注意地擺在桌上：「今天下午我們只有三小時──」

「甭擔心，」狄維爾打斷他，他的椅子向後傾斜到那種程度，照例坐在議場邊緣地帶的米蘭妮不由得替他擔心會往後仰天摔倒。「我不會佔用太多時間⋯⋯只要沒有太多外來的干擾。」他抬起一隻手，阻止主席對此反應。「不過──」

「今天上午，我們的埃及會友，」狄維爾俯身向前，仍然炭炭可危地只靠椅子的兩條前腿維持平衡，朝賈麥爾的方向點點頭，後者做深思狀，對他的招呼無動於衷：「曾經花了不少時間，主席先生⋯⋯」

算啦，曼那欽，米蘭妮想道。別修理主席啦，快進入正題吧。

「……討論以色列在軍事和核武方面的變通選擇。我們就從這兒繼續吧。」他的椅子終於四腳落地，忽然俯身向前，掌握住呈半圓形圍在周遭的人的注意。他說話很慢，豎起食指強調重點。「核子武力跟化學武器有密切關；化學武器又跟傳統武器有關；傳統武器則跟政治網路有關。」他頓一下，往後仰，恢復靠兩根椅腿平衡的特技表演。

「所有脈絡織成一張滿載恐懼和不安全感、天衣無縫的巨網，以為可以靠禁核區一下子把它拆散，眞是太可笑了。」

「主席先生，」賈麥爾打岔道：「一切又得重頭來過？」

奧地利佬還沒來及回答，曼那欽就發作了：「重頭來過？」米蘭妮從來沒聽過他如此森冷的語調：「只因爲我們聽了一上午埃及的立場——」

「不光是埃及，」賈麥爾反駁道：「還有我們來自英國的朋友，來自——」

「主席先生！」這一回狄維爾一直等到大家都全神貫注聆聽：「如果我一直被干擾，即使花整個下午也不會有任何進展。好的，」看見主席無可奈何地點頭後，他說：「我們繼續談禁核區。」

米蘭妮湊近她旁邊的男人，他只心不在爲地在紙上信筆塗鴉。她悄聲道：「什麼是『進盒區』？」

他吃了一驚抬起頭：「什麼？」

「『進盒區』是什麼意思？」她重複一遍。

「禁止使用核子武器的地區。」他答道，驚訝的表情好像她問的是 U・S・A・這縮寫代表什麼意思。

「如果要使中東免於核子武器的威脅，我們就該把這面網裁剪成可以處理的小塊，逐塊處理。身為以色列人，即使這個房間裡所有其他人都不同意，我也要堅持，限武應以傳統武器為先。除非和平有保障，否則以色列絕不會簽署禁核協議。」

「我們的以色列會友認為怎樣才能達到這個目標？」

曼那欽對英國人點一下頭。「我會講到這一點。問題太複雜，不可能在一次協議中完全解決。時間照理說能療傷止痛，但以色列建國的時間太短。歷史會讓傷口重新綻裂流血，我們卻被歷史包圍。我們必須解決不同因素造成的問題，而且必須建立共識，因為除非說服雙方──」米蘭妮很感意外，曼那欽指向前一晚三溫暖浴室遇見的突尼西亞來客：「而且各方面都有進展，否則我們連最小的一塊網都破解不了，像禁核區這麼大的問題就更不要談了。」

「最小一塊何指？」

米蘭妮開始好奇，為什麼英國人取代賈麥爾，跟曼那欽有板有眼地對答起來。

「好問題。」曼那欽對這問題極為滿意。「首先：所有阿拉伯國家必須承認以色列是一個真正的國家。你不能……萬萬不可……要求以色列為取得常態承認而做任何讓步。我們每一場戰爭──一九四八年、一九五六年、一九六七年、一九七三年──都攸關以色列的生

存。請問本世紀有那一場戰爭是像我們所經歷的一樣，以徹底消滅另一個民族為目標？我們的敵人甚至認為，只要念一遍我國的名字就會讓他們窒息。在他們眼中，我們只是『猶太建國主義實體』。」

「你可以定義什麼叫『常態』嗎？」

曼那欽裝出一臉驚訝搖搖頭。「你說話口吻活像學術辯論。不過，做為一位『猶太建國主義實體』催生的貝爾福宣言發起國的臣民，（Balfour Declaration，譯註：這項宣言即英國表示贊成猶太人在巴勒斯坦建國的宣言，因在英國外交大臣貝爾福一九一七年寫給英國猶太人領袖的信中提出而得名，此宣言曾獲得協約國主要國家認可）他的語氣中充滿諷刺：「你應該知道答案才對。常態當然就是公開承認和接納以色列成為該地區一個獨立的國家。截至現在，沒有一個地區組織接受我們：不論中東、亞洲、歐洲──只除了某些特殊場合，好比足球。」他冷笑著冒出這一句。

「相信我不需要強調，以色列一直都承認阿拉伯諸國，包括最深仇大恨的敵人在內。」他抬起一隻手，阻止別人打斷。「當然還不止這麼多。我們需要所有國家跟以色列互派使節。我們也需要公開揚棄國際間任何杯葛以色列或損害以色列合法地位的企圖。」

「這樣就夠了嗎？」米蘭妮看不出英國人話裡是否有反諷的意味，因為他臉上一點表情也沒有。

「做為第一步是夠了，」曼那欽答道。「第二點：在政治協商，尋求解決的同時，必須

落實若干建立信心與安全感的措施，並且通過『時間的考驗』」曼那欽說最後五個字時，用力敲著桌面。「克齊堡就是個很好的例子。從一九五〇年代後期以來，核子科學家和其他參加討論會的東、西方人士，已經開始對彼此有了信心……其他部分你們都知道了。」

「建立信心。」這一回，英國人的諷刺口吻清晰可聞：「這在你那部分的世界有什麼意義？」

「你那部分的世界！」曼那欽重複，音調洋溢著嘲弄。「除非你那部分的世界覺悟，我這部分的世界也包括你那部分的世界，否則一切都不會有進展；或者你仍然相信大英帝國的神話，認爲宗主國以外的地區都是邊陲？你讓我想起貴國報紙上的一則標題：『英法海峽起霧；歐陸頓成孤島』。」曼那欽等笑聲平息──連埃及人都覺得有趣。「現在看起來，其實是可悲更甚於可笑。」他補了一句。「但是我要給你一個建立信心的例子。只給一個，否則主席的錶可能會壞掉。」曼那欽目光不離開那個質疑的英國人。「在早期規畫階段，這例子很可能會促成像克齊堡會議一樣的論壇。以區域合作爲例，」他再次敲著桌面以強調語氣說：「合作不需要基於善意──因爲善意根本不可能存在──而是基於共同的需要：諸如環境破壞，水資源短缺等。合作發展海水淡化與灌溉技巧……」他聲音轉低。

「但當然，這樣還不夠，」他繼續道。「目前堅拒合作的國家──目前是利比亞、伊拉克、叙利亞，還有上帝才知道會加入他們的小圈子的那些國家──都必須參與最終的和平議程。除非這些負隅頑抗的國家都加入談判，否則絕無可能落實限武裁軍。只要辦到這一點，

其他幾乎都不成問題。」

曼那欽停下來，眼光橫掃聽眾，他的椅子現在穩穩當當地四腳著地。今天下午頭一遭，米蘭妮跟他目光接觸，不過為時極短。

「你能不能給我們說說你在『落實限武裁軍』方面的高見？」

曼那欽輕蔑地揮揮手。「我一開始就說了，應該從傳統武器和化學武器開始。除非和平有保障，否則以色列絕不會簽署禁核區協定。」

「哈。」賈麥爾的聲音響亮而清晰。「我就知道。」

「你也許知道。」曼那欽顯得心平氣和：「但是我想你沒有聽懂。」他指指英國人。「阿拉伯人再三堅持把核武問題抽離現實，提交聯合國和ＩＡＥＡ，這份天真實在是令我百思不解。」他把那幾個縮寫字母念得極快，聽來倒像是「啊咿喂」。

「那是什麼？」米蘭妮悄聲問鄰座。

那個人早就不在塗鴉了。他悄聲答道：「國際核能總署。」

「……這些地方用少數服從多數的方式來取代協商，而當然，他們擁有壓倒性多數。我相信以色列不可能服從這種要求，不論提議者是阿拉伯人還是美國人，因為──你們一定都知道──一九七七年，以色列唯一的安全保障就是它自己。阿拉伯國家必須先跟以色列和談。和平不是在這個地區成立禁核區唯一的途徑，這樣以色列才終於有可能簽署禁止核子擴散條例。我很遺憾中國大陸沒有派代表來克齊堡。因為他們在ＮＰＴ的立場可能對我們有所啟

發。我們印度來的朋友對ＮＰＴ有什麼看法？」曼那欽轉向他隔一個位子的鄰座，以及坐在米蘭妮身後的人。「你們三年前公開做核子試爆，雖然就我所知，沒有人企圖消滅你們的國家。還是我該稱印度為『甘地實體』？」他語帶諷刺地問，沒有人答話，他又道：「各國的企圖與表現可能不會一致。所以你們憑什麼認為複雜的政治衝突可以用一種方式處理？」曼那欽鼓作氣往下說：「別忘了，一九六四年，我們的總理艾希柯爾（Levi Eshkol，譯註：一九六三—一九六九年任以色列總理，曾處理一九六七年六日戰爭危機）以色列不見得會是中東第一個引進核武的國家，」他環顧同坐一桌的人，最後把目光定在賈麥爾身上：

「但猶太建國主義實體並不打算做第二個。」

「以色列會友的說明非常精彩。」發言者是那位並非突尼西亞人的突尼斯來客，前一天晚上他曾審視過汗水如何流下米蘭妮祖露的酥胸。截至目前，他都一言未發。米蘭妮聽得出他帶口音卻流利的英語背後，有極力克制的怒火。但他還是稱曼那欽為會友。克齊堡對和平進展的評估就建立在這上頭？「有一個名詞——或者我該說是兩個？——始終沒有聽到這位會友提起過，事實上，也沒有任何其他人提起過：那就是『巴勒斯坦』和『巴勒斯坦解放組織』。這兩個詞彙在克齊堡禁止使用嗎？我是新來的，不像埃及或以色列這兩位會友，我之所以前來是因為聽說，只要是相關議題，都可以在每個小組中提出討論。現在你們討論中東衝突，」他低沈而節制的聲音忽然提高：「卻絕口不提這兩個名詞？我們就從一個開始好了，狄維爾先生……」

啊，米蘭妮想道。原來不只我一個人聽出曼那欽不願使用任何正式頭銜。「……我們來談談巴勒斯坦人。不是所有的阿拉伯人，只有巴勒斯坦人。我們列在你解決衝突的合理程序的時間表的哪個階段？在信心建立以後嗎？在傳統武器限武和化學武器限武的中間嗎？或者在禁核區成立之後，還是永遠沒機會？如果我們被容許參與，誰來替我們講話？你會容許我們巴解組織的狄維爾進入會場嗎？」

主席敲玻璃杯的叮叮聲在一片沈默中清晰可聞。他指指手錶：「中場休息時間到了。請用點咖啡和茶，我們三十分鐘後再繼續。」

氣氛很陰沈，幾乎有點震撼，大家起身走出教室。

米蘭妮走出去，排隊取咖啡。見曼那欽沒有現身，她又捧著杯子走回教室，發現他正跟鄰座（似乎是個荷蘭人），以及兩個印度人，還有那個巴勒斯坦人辯論。

「你，」巴勒斯坦人指著曼那欽說：「跟你的政府是一丘之貉：『是我的還是我的；不是我的才有待協商。』當然，你們有力量。現在你們有力量了。但力量不過是非法的幌子罷了。」

「如果是這樣，」曼那欽冷靜地說：「那宣傳的力量更是非法到極點了。你們難道不是玩弄宣傳伎倆的高手嗎？」

「難道你們以色列人就不會那一套？」阿拉伯人的聲音變得極為獰惡：「你們這些控制媒體的猶太佬？」

很令米蘭妮意外，曼那欽沈著地回答。「我們完全把宣傳搞砸了。簡直是一敗塗地。看看我們的公共形象多惡劣啊。而且儘管如此，一般人還是跟你一樣深信不疑，以為我們控制了媒體。」

「哈！」這個字簡直是啐吐而出：「我再重複一遍：你跟你的政府是一丘之貉；你只會製造麻煩，比較巧妙一點，如此而已。」

「你等一下，」曼那欽說，甩脫了正在搥胸頓足以示強調的巴勒斯坦人：「別走開，我馬上回來。」

他走向米蘭妮：「你會留下來嗎？」

「我想我最好回我那個小組去，」她說。「但我很高興你邀我來。有很多可談的。晚餐再談如何？」

「我不行。今晚沒辦法。我要在校外跟人會面，我只能說這麼多。晚一點好不好。」

「今晚我到你住處好嗎？」她說。

「我的床比你的寬，」他咧嘴一笑：「可是你確定能來嗎——」

「我哪兒都能來，」她悄聲說，不希望被人聽見。但是他沒聽懂她的雙關語。是她聲音太小，還是曼那欽不懂美式英語中「來」也可以指性高潮那回事？還是別有原因？我知道的這麼少，她告訴自己。這是我如此受他吸引的原因嗎？或是因為他展現與生俱來的男子氣概的方式，帶點孔雀似的囂張。他日常言行的粗獷與他做愛時令人意想不到的

細膩溫柔形成強烈的對比。她想起昨夜：他在她皮膚與乳頭上的輕憐蜜愛，他以舌尖緩慢、耐心、無比珍惜的貓也似地舔舐，還有他全力以赴的陰莖衝刺。

「九點左右？」她問，這回提高了音量。

「太早了。十點比較保險。我可不要你在其他人走來走去時，站在走廊裡敲門。我旅館裡住的與會者比你那邊多得多了。」

中場休息的空間是五個小組討論會共用的。大家絡繹回到各自的教室，米蘭妮在逐漸稀少的人群中瞥見了大師的身影。

「律克，」她向他招手：「我們晚飯前聊聊好嗎？我今天下午參加了曼那欽的工作坊。」

我想再問你幾個問題。」

「當然好。什麼時間？」

「你游泳嗎？」

「游啊，」他有點意外：「幹嘛問？」

「我坐了一整天，天又這麼熱。從學校走幾步路就有個大游泳池。我想游幾圈。我們五點以後在那兒見。」

米蘭妮望見律克，是她站在池畔，滿身滴著水，搖晃著腦袋想把耳朵裡的水弄出來的時

候。從他懶洋洋的坐姿，香菸叼在嘴邊，一副法國電影裡的派頭，顯然他來了已經有一會兒了。

「你是個健將，」他頗爲讚許地說。見她滿臉不解，他雙手划動模仿泳姿。

「你是說游泳，」她笑了起來。她拖過泳池畔一張長椅躺下，示意他把椅子搬到她身旁。落日照在她臉上，讓她瞇起眼睛。「我在家鄉幾乎天天游泳。你呢？」

「我多半游地中海。我喜歡你的髮型。」

米蘭妮不自覺地摸摸短髮。她知道自己這樣好看。

「你的腿也很漂亮。」他用香菸指點。「很棒的腿，」他用食指和拇指做了個圓圈。

「謝謝，」她笑道，交叉起雙腿。「不過你也評審夠了。我告訴過你，我去參加撒哈拉的區域衝突小組。大部分議題都跟禁核區協定和國際核能總署的檢查有關。」米蘭妮很慶幸自己能把這些陌生的名詞說得這麼流利。「你就爲這原因去以色列嗎？你就這樣跟曼那欽認識的嗎？」

大師輕笑一聲，深深吸了口菸。「國際核能總署，」他一個字一個字慢慢唸，然後又輕笑一聲。「不，不是國際核能總署，」他說。「正相反。這在一九七七年已經不算是秘密。但是一九六○年那陣子，我們滿腦子都是現在要凍結的那玩意兒，我們甚至跟以色列工程師合作，在撒哈拉搞我們的核子試爆，曼那欽也在場。」

「所以你是在撒哈拉認識他的？」

莫倫搖搖頭。「還要晚。他去撒哈拉不是為了這件事，」他敲了好幾下自己的腦袋：「而是因為他完美的法文。幾乎完美吧。」他咧嘴笑笑。「曼那先生跟所有法國人都稱兄道弟，即使那些想跟他保持距離的人，」他聳聳肩。「也許中剛果的人都是這樣沒大沒小的吧。」

「所以你們在貝爾旭巴認識的。怎麼回事呢？」

一段沈默，大師又在表演香菸空中接火術。深吸新香菸一口助燃後，他繼續道：「這已經不是 ha、anoseh ha、adin 了。」他看到米蘭妮困惑的表情，臉上露出一抹懷舊的微笑。

「我還記得一些希伯來文。尤其是這麼意在言外的表達方式。這句話的意思是『敏感話題』。一九五六年蘇伊士運河戰爭以後，戴高樂氣壞了，他取消了一切跟以色列的官方合作。」莫倫兩眼往上滾：「但非官方呢，」他笑得好像戴高樂將軍剛上了他的當：「我們又跟以色列合作了好幾年，建設迪莫納的化學處理工廠。我當年是個鷹派，我們——曼那先和我——做了朋友。」他對米蘭妮揮舞他的香菸。「美國人對我們很不高興。但人生就是這樣，說不定戰爭也是這樣。我還記得我們有多小心。我甚至把我信箱上的名字都改了。太妙了。」

「律克·莫拉德？我懷疑這騙得過中央情報局。」

「米蘭妮！」莫倫裝出生氣的樣子，好像她侮辱了他的智慧。「我寫的是莫拉德宅。這可以去掉一個字母，讓它變成一個純粹的希伯來名字：莫拉德。」

「律克·莫拉德？」莫倫裝出生氣的樣子，好像她侮辱了他的智慧。「我寫的是莫拉德宅。這可以騙過每一個人，連穆薩德（Mossad，譯註：以色列情報組織）都不會起疑，我們都知

道，這組織可比中情局嚴密多了。不過當年在貝爾旭巴，也是穆薩德建議這名字給我的。」

米蘭妮覺得有必要為中情局扳回一城。「那你能說話沒有口音到足以騙過每一個人嗎？」

「我認輸，」他舉起香菸向米蘭妮致敬，然後指指手錶：「得走了。」

「等一下，」她急忙說：「等我換好衣服，我們可以一塊兒走。我還有話要問你。」

「第二任狄維爾夫人長什麼樣子？」

「非常迷人。」

「可是她長什麼樣子？」

「一個漂亮的女人，」他說。「不過我很多年沒見到她了。」

「她不跟他一塊兒出國旅行？」

他們並肩而行，米蘭妮拼命想捕捉大師的眼神。但他變得高深莫測，眼睛緊盯著地面。

「她不旅行。」

「為什麼？」米蘭妮沒法子不問。

「去問曼那先。」

第八章

「曼那欽，我專屬的老鷹，」她低語道：「這樣好不好？」

他仰臥床上，閉著眼睛。米蘭妮伸直手臂，撐在他肩膀兩旁，騎在他身上緩緩馳騁。

「停下來！」他忽然喊道，捏緊她不斷抽動的臀部。「停下來，」他命令道：「還不可以。」

曼那欽向上一挺腰，滑溜溜的陰莖立刻離開了她的身體。他仍然捏住她的臀，倒回枕頭上。

「你看，」他指著彷彿從騎在他身上米蘭妮的陰毛叢中長出來的勃挺陰莖說：「我把你變成了一個男人。你來摸摸他，把他當作你自己的一部分，不過要慢慢地。」

「像這樣？」

「不對，」他拉開她合攏成碗狀的雙手⋯⋯「你拉扯太用力了。像這樣⋯⋯輕輕撫摸，不要

拉扯。

「像這樣？」

「還不大對。」他再度接手：「看，就像這樣。從下面一直到頂端。」米蘭妮注視他微彎的手掌挪動，割過包皮的那圈疤痕，閃閃泛著紅光。「我不大會

──」

「你不手淫？」

「我說的是男人。」

兩人同時放開他的陰莖，那話兒開始萎縮。「那麼你自己呢？」他又問：「你有沒有

……？」

「有啊，」她迎向他好奇的目光。

「經常？」

「看情形，」她說，食指尖輕巧地掃過曼那欽的陰莖；它在她大腿間又硬挺起來。

「像是什麼？」

「很多事情。最重要的，我的心情──」

我不知道該從何說起：我是個右撇子，但我通常用左手的中指。如果我對曼那欽的認識沒錯，他會打斷我問：「為什麼是左手？」這就離題了。

但我指能用這種漫不經心的方式跟他談手淫。我的手淫是百分之百的無師自通，可以編一套完整的技術演進史。始於青春期之前，我的月經初潮之前，我母親為我做好了體貼而充分的準備，所以我幾乎是像猶太男孩期待成年禮（bat mitzvah）一樣熱切地期待它的來臨。

這又引出一個有趣而值得一提的題目：為什麼我這麼一個新英格蘭出生的純種白人盎格魯薩克遜的基督新教徒後裔，會在這時候提起一個我從來連想都不會去想的猶太專門字彙？這倒很可以跟曼那欽深入探討一番。

儘管說不出我在何時何刻發現自己有這種無師自通的才華，我還是可以很有把握地確定，我在性方面非常早熟。玩繩球（tetherball）是個無意識的開始，攀爬竹竿與繩索則是有意識的延伸；但真正的醒悟卻是靠我中指力量的啟蒙。什麼時候？大約十三、四歲吧。當時我絕對還不滿十五歲，有天下午，我母親突擊檢查，發現我躺在床上，兩腿間夾著枕頭。當時我已經發展出各式各樣的技巧，好比雙腿夾緊枕頭，跨坐在上面，最好是緞子面的枕頭，用右手愛撫起來的感覺，比我自己的大腿內側還要光潔細緻。（如果鼓得起勇氣，我會說：「因為我是右撇子。」）

通常我只在夜間放縱自己，躲在毯子底下，當時我故做正經把這種行為稱做「安撫的企圖」，把臉孔埋在一個枕頭裡，夾著另一個枕頭搖臀推送。但那一次卻是在白天，近黃昏的時候，雖然臉拉上了窗簾，但還有足夠光線，所以母親走進臥室時，一定看見了我光屁股股緩慢而緊繃的動作。她沒有敲門，但又為什麼要敲？她手裡抱著一疊剛洗乾淨的毛巾，而且她根

本不可能知道我在樓上。「抱歉，米蘭妮，」她說。我停下臀部的動作，分開大腿，我翻過身來。「米蘭妮，」她又說一遍：「你在幹什麼？難道……？」

那是我第一次，也是最後一次出這樣的意外。我相信沒有人看過我手淫，雖然我已經這麼做了二十多年，包括結婚期間和最近這三年。對我而言，手淫遠比跟不對勁的人做愛更愉快。即使找得到合適的做愛對象，趁他不在時手淫，在我個人的性愛守則中也是優先考慮；最起碼，它幫助我回憶早先肉體經驗的慾望和記憶。

當然，它早已不再侷限於「手工業」。我沒有用過機械式道具（假陽具、按摩器等），但我盡情享用各種突出物的表面：抽屜把手、桌角，浴缸的邊緣……裸體銅像的肩部。那當然很危險，因為亨利‧摩爾的作品是陳列在公園裡的，這又引出另一個題目：將我的慾望曝光，幾乎已經上了癮。我甚至在瑞普康董事會上，聽會計報告時有過無聲的高潮。我總是藏匿自己的眼神，只要戴顏色極深的眼鏡就能辦到，但開董事會時可行不通。那我就假裝用拳頭揉眼睛。

倒不是我經常做這種事。場所一定要新鮮，而被人發現的風險也必須非常真切。否則何苦不在家裡解決就好？家裡沒什麼缺點：在家手淫不僅無須壓抑自己的反應，也容許我以公共場所不容許的方式尋求更大的滿足。在家手淫時，我品嘗過自己甜蜜的分泌物；我的中指不僅愛撫，經常越過陰蒂，探入最深處，然後它就是我現成的手指冰棒。我的婚姻持續期

間，我沈迷於口交（可能比性器官交合的次數更多），因為我喜歡親吻賈斯汀沾滿我體液的嘴和下巴。我也嗜好賈斯汀微帶酸澀的精液滋味，但我不敢讓他在我嘴裡達到高潮。只有在他射精後，我才把他變軟的陰莖放進嘴裡舐舐，就像我的中指。

所以何者為先？在公開場合手淫，或我手淫而不為人所覺的本領？我猜是後者。從爬竿子進展到中指進展到枕頭（以及後來的淋浴蓮蓬頭），乃至複雜而巧妙的壓力法，整個發展都很合理。我是數以百萬計，從兩腿交疊中就能找到樂子的女人之一。古早的衛道之士嚴禁女人叉腿而坐，豈不就是因為怕遇見這種後果？沒見教會學校的女生，即使到今天，畫十字的時候還是不准許兩腿交疊而坐嗎？

我在大學很早就有憬悟，當時我讀到推薦給懷孕期間和即將進入更年期的婦女，為防範會陰肌肉喪失彈性和尿失禁而做的凱格爾練習。早在這種運動號稱可以紓解的問題，對我還不成問題時，我就接觸到它。雖然我不管陰道或其他部位的肌肉都夠結實，我的膀胱也非常健全，這項技巧卻對我極具吸引力。正如其他自學者的發現，以凱格爾操運動骨盆底的肌肉，能加強陰道肌肉靈活度，增進性興奮。這種運操的正式說明似乎滿無聊的——像是把骨盆腔肌肉比做電梯，用力收縮它就好比在一棟五、六層樓的建築物裡，每層樓都停一下——但是操作我體內這座電梯，有個意外的收穫，會增加我體液蜜汁的分泌。然後我就開始練習開闔陰唇，以及用大腿刺激陰蒂，直到有一天，我達到第一次的凱格爾高潮。對我而言，這是我手淫史上最大的突破，因為它將我的自我情慾追求，擴充到一個那一刻之前始終只存在

於我的幻想中的境界。

不久後，我又有進一步的發現：剪裁合身，提高中線的長褲。正確的縫線可以使我愛情肌肉施加的壓力更上層樓。

我的手淫運作全部程序大致就是如此，只除了一點：還必須我心情好。

「告訴我，」曼那欽雙手擱在腦後，躺著說。

米蘭妮從他身上滑下來。她說：「我不能，太私密了。」

「你會幻想嗎？」

「會啊。」

「想些什麼呢？」

「我沒做過、不能做、或不能說的事。」

「你挑一件跟我做好不好？」他哀求，把她拉到他身邊。

米蘭妮感覺得出他的亢奮。「好啊，」她說。

「現在？」

「不要，明天。去維也納。我要跟你做的事不能在這個房間裡做。」

第九章

「米蘭妮，以一個企圖盡快把錢花光，讓世人把它遺忘的基金會董事而言，你可真是有夠難找。」弗教授的笑聲聽起來滿自然的。「你在克齊堡都做了些什麼？這地方我在地圖上都找不到。」

「向物理學家、工程師之類的人傳播節育的福音——」

「可是幹嘛挑中克齊堡呢？」他打岔道：「你在這兒做這種事豈不效果更好？」

「嗯……」她熟知弗教授，所以瞭解他的探詢純屬好奇，沒有別的目的，但即使如此，這問題還是讓她一時之間感到困惑不安。她不知道倘若吐露真相，他會是什麼表情：我跟一個已婚男人在認識第一天就上床。「第一點——這是個小圈子，可以專心致志處理重要的議題——」

「別扯了——」

「你又幹嘛跑來曼哈坦，菲力？」還是談專業問題比較簡單。畢竟她也沒那麼多時間浪費在客套（或尷尬）上。她回到瑞普康的辦公室，只見待辦的公事堆積如山。「聽來滿緊急的。難道上週我的手下都幫不上忙？」

他搖搖頭：「有件事我要直接問你……」

米蘭妮等著聽，弗教授卻頓了一下，她想，他似乎是在整理思緒——或勇氣。然後他忽然改變了心意：「談正事之前，我要先請你去看一個有意思的東西。」

這個邀請用電話處理還更方便。但每逢大都會歌劇院的表演季，他就絕不會放過任何出差的藉口，尤其是當行程可以涵蓋某齣歌劇在大都會的首演，更是沒有話說。《馬卡波拉事件》（Makropoulos Case）一九六〇年代末曾經在美國演出過，但他錯過了。現在大都會非但要演，而且領銜演出的還是吉倫特·伊凡斯、安妮雅·席利雅等赫赫有名的巨星。

「今晚我要去大都會看新推出的雅納切克（Leoš Janacek，譯註：捷克音樂家，二十世紀民族樂派主將）的戲。雪莉從波士頓趕不來。你陪我去如何？」

米蘭妮的生理時鐘還沒從時差中恢復，但是去看《馬卡波拉事件》——一齣她聽都沒聽過的歌劇——滿有誘惑力的。

「好啊，」她說。「反正睡覺的機會以後有的是。」

「很好，」他說。「最重要的問題解決了，我們可以回頭談枝微末節：你能否拿出你的董事特支款，資助我的一個計畫？我從來沒向你要求過特殊待遇，你是知道的。數目也不

大，」他做了個祈求的手勢：「大約兩萬五就夠了。」

「我還不知道你連這麼一點小錢都要呢，菲力，」她說。他真的沒有用一場歌劇行賄的企圖嗎？她想，這不像他——他明明知道不需要巴結我的呀。「可是你為什麼不透過正常管道申請呢？我們又不是什麼公家機關；你知道我們不考究繁文縟節的——」

「我有急用。」

「我來安排以速件審核——」

「我相信你辦得到，」他不耐煩地說。「但我有我的理由。老實跟你說吧，我不想要讓競爭對手得知我們的秘密計畫。」

「競爭對手？」她往辦公椅上一仰，準備好好聆聽。科學家之間的勾心鬥角，尤其是涉及學界的超級巨星，總讓她著迷。

「你知道我們男性生殖生物學的圈子多麼小。你的審核委員當中想必都是——」

「好吧，」她打斷他：「所以你的計畫有什麼讓人覬覦之處？」

「我們可能掌握了處理男性性無能的新途徑……」他開始說，但米蘭妮沒讓他把話說完。面前堆著待完成的工作，使她失去耐心，老是打岔。至少在菲力面前，她可以用嘲謔掩飾心中的煩亂不安。

「你是要引起性無能或是治療性無能？」

「正經一點，當然是要治療。」他終於露出不悅了。

「你們男人總是這麼想。你們何不換換胃口，研究研究預防之道，不要一味注重表現？」

換言之，花點腦筋在避孕方面。」

「天哪，」弗教授開始嘟噥，想起布蘭岱大學最近那場募款餐會的災難，但他隨即決定不提此事。「我聽過這種論調。」

「那你怎麼不考慮？我們接到有關避孕的研究計畫愈來愈少。跟男性節育有關的新方法更幾乎是零。這年頭，研究生殖的哥兒們，好像都只關心怎麼治療不孕症。」

「好建議；尤其又是來自一個讓人無法抗拒的大金主機構，」他隨聲應和，終於發現這兩萬五千塊錢得好好奮鬥一陣才有可能到手。「不過我們不全是哥兒們了。實驗室裡的女性愈來愈多。你若跟我易位而處會繼續研究下去嗎？」

「下視丘的釋放賀爾蒙如何？這類賀爾蒙的研究現在正熱門。好比桂衍明（Guillemin）和夏利（Schally）就是靠生殖賀爾蒙研究拿到諾貝爾獎的。」

弗教授哼一聲：「這就構成不去碰它的好理由。」

「你是什麼意思？」

「瑞典人不可能把諾貝爾再頒給同一領域的研究。」

「菲力，你說正經的。這就是你選擇研究範疇的方式？」

「不是，不過也有一半是真的。不過你說下去，你希望我做哪方面賀爾蒙釋出的研究？」

「比方有一種對男女生殖都有影響的⋯LHRH──」

「少來啦，米蘭妮，」弗教授愈來愈不耐煩了。「不是我反對黃體激素──釋放激素（lutenizing hormone──releasing hormone），或刺激卵泡的賀爾蒙。可是何必自尋煩惱呢？

LHRH的結構已經確立了──今年的諾貝爾醫學獎就關係到──」

「拜託，菲力！」米蘭妮可不打算讓他輕易脫身：「我說的是LHRH的類似物或FSRH的拮抗體。任一者都可以使精子的製造宣告結束，不是嗎？」

弗教授長歎一聲：「我想是吧，但這也會壓抑男性的性慾。」

「你可以用睪丸酮來抵銷它的作用。」

「麻煩透頂。」

「到時你們這些可憐的男人就跟天天吃避孕藥的女人一樣了。不過──注射長效性的睪丸酮酯不也可以嗎？」

「還是太過複雜。」

米蘭妮搖搖頭：「我看你就是對節育不感興趣。」

「米蘭妮，這麼說不公平，」他提高了音量。「我不過是實事求是。就算你能以人工方式合成LHRH類似物，我可以為你背書，」他豎起食指以示強調：「你的論點在理論上完全正確，但你想想，開發這玩意兒要耗費多少時間：要做多少年的臨床測試。我們必須確知它是否可逆。如果不可逆，那就根本沒有必要費這麼多手腳。做輸精管結紮手術還乾脆

點。」

「你的男性性無能又怎麼樣？還不是要花一樣久的時間？」

「你是說最終廣泛應用於臨床治療嗎？也許吧──尤其把不可忽略的心理因素也列入考慮的話。但若只談初步的研究，測試我們想法的部分？」他想起布蘭岱晚宴上與那名潑婦的遭遇戰，啪地一聲彈響手指：「你要麼勃起，要麼不能勃起。只要幾秒鐘、幾分鐘就見真章，不需要等好幾年。」

「這就是你選擇研究男性性無能的理由？」

「不是我選擇它，是它選擇我。」

「喔，菲力，我真為你遺憾。」

「什麼跟什麼嘛？」弗教授脹紅了臉：「我指的是解決方案，不是問題本身。」

「喔，」米蘭妮有點後悔。她暗忖道，我幹嘛跟這個人過不去呀？

但弗教授似乎只暫時受挫，他隨即又打起精神推銷他的計畫。

「我有個很棒的博士後研究員，來自史丹福，她在我實驗室研究一氧化氮在血管擴張中扮演的角色。我想到，如果我們用海綿體的平滑肌做實驗──」

「自信不需要弗教授說明陰莖構造和兩個海綿體的勃起組織，米蘭妮打斷他的話：「你放鬆平滑肌，血液湧入……」她很意外地發現自己豎起中指彈動不已，接下來一陣笑聲讓他們兩人都放鬆下來。

「雷妞‧庫里希南——就是我那個博士後研究員——正在研究一氧化氮合成酶，是一種主導在人體中產生一氧化氮的的酵素，以及釋出一氧化氮的化合物。最初只是基本研究，但後來我們想到，臨床應用和治療陽萎可能殊途同歸。所以我才來這裡。」

「可是，菲力，要求我從董事特支款中撥兩萬五給你，作為報答你請我聽歌劇。」她好心情地揮揮手，擋掉他的抗議：「這是行不通的。你倒說說看，兩萬五對你有什麼意義？」

「把雷妞送到以色列幾個月——三個月吧。」

「可是為什麼去以色列呢？」

弗教授正待說明，耶路撒冷的哈達撒醫學研究中心乃是開創性的臨床研究的理想場地，米蘭妮再次打斷他。

「好吧，」她說：「咱們就送這小伙子去耶路撒冷吧。」

弗教授對這項決策的速度大吃一驚，他唯一想到的應對就是：「雷妞‧庫里希南不是個小伙子，她是個女生。」

「更好。我一直認為，治療男性性無能只要一個聰明女人就夠了。順便帶一句，我覺得心靈無能才是種更嚴重的毛病，而且更無藥可醫。」

兩人都沒看過雅納切克的作品，所以對演出的評頭論足只好留待看完表演的點心時間。

晚餐時，弗教授說：「談談你的克齊堡之行吧。你碰到些什麼樣的人？你跟他們談些什

麼？」

「我就談節育啊…還會有什麼？尤其這個根本上很新的領域亟需更多科學研究——也不是近年來各大藥廠津津樂道的那種無聊的所謂進步。」

「他們有沒有歡然踴躍，爭相索取瑞普康的申請表格？」

「沒有。不過我本來也不期望如此，會議的成員很複雜，沒幾個做生殖生物學的基礎或應用科學的，不過根據你今天上午的反應判斷，我設的餌大概也吸引不了他們。很多人關心人口問題…人口統計對環境破壞、經濟發展、糧食生產的影響……也有人代表各自的政府或偽非政府機構發言。『人口』涵蓋很多方面。不過我相信很多人回家時都學到了新東西。」

「那你學會了什麼？」

米蘭妮向後靠在椅子上。「除了沒找到人來申請瑞普康的補助，我什麼都碰到了。比方說，你可知道都會農業的複合式農耕，是一種結合傳統農業與城市化工業的活動，消耗掉全世界四分之三的能源與肥料，並負責生產與外銷三分之二的糧食？」

弗教授用手指在結霜的玻璃冰水杯上畫線條。他抬起眼睛說…「你真的對這種事感興趣，或這只不過是場知性的一夜情？」

「不要那麼否定一夜情。」

「天啊，沒想到連德蘿博士也會說這種話。」

「少來，菲力。」她大手一揮說…「別那麼道學。即使是一夜情，也可能留下長遠的影

響。」她頗為自覺地笑起來：「你可不要隨便引用我這句話。」

「我最好完全不要引用你任何一句話。」他也笑著說：「可是你遇到的人呢？他們是從哪兒來的？」

「世界各地。」米蘭妮很熱烈地說：「不少來自東歐的社會主義國家。還有些黨政人員，他們把這種每年例行的出國機會當作福利，而且堅守黨的路線。我們的人口小組裡就有幾個這種人。但也有好些離經叛道的人，至少私底下吧，尤其是關於中東的辯論。」

「你也參加了那種討論？」弗教授相當吃驚。

「是啊。我碰到一個好有意思的以色列人，他決定擴充我的背景知識。還有一個法國人，」她連忙補充：「他的一口破英文好迷人，是個菸槍，人家叫他『大師』。」

「那個以色列人來自耶路撒冷嗎？要不要我的學生去拜望他一下？」

米蘭妮搖搖頭。「他來自涅蓋夫的本古里昂大學，是個核子工程學家。」

「你們除了開會還做些什麼？像我這種城市鄉巴佬只會問這種問題，可是說真的，你們在一個奧地利小村莊裡，除了聊聊複合式農業外，還能做些啥？」弗教授不怎麼設法掩飾他的輕蔑。

米蘭妮笑道：「菲力，再怎麼小的村子裡，也會碰到出乎你意料之外的事──只要你保持開放的心靈。還有，我還去了維也納。」

「一個人？」

「不，那個以色列人也去了。」

第十章

「你說維也納，能否說清楚點，我們到底要去維也納的哪裡？」星期二晚上，曼那欽在米蘭妮正收拾著打算離開他的房間時間。

「你會知道的，」米蘭妮弄亂他的頭髮：「一切交給我就是了。」

「我們怎麼去？坐巴士，還是──」

「美國人的組織天才已經都安排好了。我租了一輛車，不過我會讓你開車。」

「我不會開車。」

正常情形下，米蘭妮會沿這個寶貴的自傳線索一路追問下去，這對一個中東的男性鷹派真是太不可思議了。但性愛剛結束的氣氛沖淡了她與生俱來的好奇心。「那就我來當司機吧。」話畢她又吻了他，用了好多舌頭，最後一次。

米蘭妮開著她租來的紅色福斯車經過小學，只見導覽克齊堡周邊地區（取了個很貼切的名字——「駝背世界」）的巴士，成排等在國民小學前面，晚間還要載與會者到附近山裡的薩默林度假中心赴宴。這天是星期三，傳統上克齊堡會議結束嚴肅的討論，招待與會人員和隨行者：眷屬、情婦（道貌岸然的共產國家來賓絕不做這種事）、觀察員、學生助理，還有幾位神通廣大，獲准前來的記者，因為整個議程除了最後一場，都是不准對外報導的。曼那欽要她到池畔接他，她猜他這麼做是為了避人耳目。她只猜對了一半。開到那兒，她才發現避人耳目是為了另一個人：那個來自突尼斯卻不是突尼西亞人的化學家。米蘭妮遠遠望見他跟曼那欽分手，轉身走回小鎮的市中心。

「我還以為你教我來這兒接你，有什麼激情的因素，」她開玩笑說：「可是我發現你另有約會。」

「是啊。」

「你確定沒有別人看見你們？」

「不過我會否認。」他說：

「管他的。我今天只是不想被人竊聽罷了。我確信作天晚上我們在路邊一家小店吃晚飯，一定也有人看見。我甚至要請客，可是他拒絕了我。」他頓了一下，望向他那一側的窗外。

「我喜歡他堅持自己付晚飯錢。那漢子說：『不可以欠債，一點點也不可以。』他滿有幽默感。他說：『除非你願意以招待巴解組織成員的名目申請稅金扣抵。可是米蘭妮，克齊

堡這種地方，大家預期每個人都互相交談——當然是非正式的。奈及利亞內戰最慘烈時，克齊堡會議在蘇聯召開，真挑著了地方，我看見兩個比亞法拉來的伊波斯官員跟胡薩族的對手會面。每個人都看見，而且都為此高興，但我相信他們雙方都會否認這事。」

他伸手到座位底下，把座椅空間調整到最大。米蘭妮真希望他不要這麼做。這也是我來克齊堡的目的——私下交談。你看到我們那個小組昨天下午的情形。來這兒如果只是為了在一群早已裁定你有罪的人面前，捍衛自己國家的立場，想必只有受虐狂才辦得到。」

「你太誇張了，曼那欽。那間會場裡也有人被你感動到的呀。」

「簡單，小女子我。」

「哼，舉個例子。」

曼那欽伸手過來，拍拍她握著方向盤的手。「謝謝，這樣一切就都值得了。」

「還有別人。也許不是那個英國人，管他叫什麼名字來著。但我敢確定，那個叫卡普爾的印度人在你談到禁核區的時候，幾乎要點頭稱是了。還有那個德國人，叫馮‧繆成貝克的——」

「真的？」曼那欽聽來很意外：「你怎麼會知道？」

「我從他們專心聽你講話的神情看出來的。我不知道你說服了多少人，但你絕對打動了某些人。你不必像典型的猶太佬那麼偏執啦。」米蘭妮側過頭，拋給他一個短暫而親熱的媚

眼。她不知道他作何反應。

「嘖，嘖。你這才是典型白種盎格魯撒克遜基督新教徒式的判斷。」他以同樣嘲弄的口吻回應：「從我的立場，偏執的代價太奢侈，我負擔不起。我稱之為務實。不是猶太式的務實，而是以色列式的：如果我們說中東的政治形式維持一般水準，意思就是情況比去年糟，而比明年好。」

「那個突尼西亞人倒底是誰？」她問。

「我告訴過你，他不是突尼西亞人，他是住在突尼斯的巴勒斯坦人。也說不定他只是在突尼斯買飛機票。不過我猜對了，他是個化學家。」曼那欽聽來頗為自得：「我對他很感興趣。」

「因為他是化學家？」

曼那欽聳聳肩：「他似乎很聰明，而且更重要的是也很務實。那個埃及佬賈麥爾只會說空話，就像英國佬，生活在想像的世界裡；也像很多在英國讀大學的埃及人，他有種愛恨交織的情結。他們都崇拜牛津劍橋，但通常只能進一所紅磚建築的大學或技術學院，被人當成二等公民看待。他們回到開羅，就拿自己的英國教育吹牛，拼命揭英國人瘡疤作為回報，這現象在蘇伊士運河事件後更嚴重，但同時他們又輕視巴解。賈麥爾跟大多數埃及人一樣，利用巴勒斯坦問題逞一己私心。按照休斯戴迪斯的訓誨。」他想到奧地利主席誇大其詞的開場白，不由得輕笑一聲，然後又恢復嚴肅。

「阿美德·沙雷他不一樣。在某種意義上，他讓我聯想到三十年前的猶太建國主義者。我們有些人也是恐怖主義者，可是我們也很務實。我們把恐怖主義當作手段，不是目的。」

「當然，巴解組織裡有不少人純粹就是恐怖份子。我們的官方說法一口咬定他們是恐怖份子，拒絕跟他們接觸。我們也不跟我們接觸，但他不一樣。我也不一樣⋯大師說的，」他補了一句。又聳聳肩膀：「沙雷雖然是巴解的一份子，但他不一樣。他們也不跟我們接觸，」他補了一句。又聳聳肩膀：「沙雷雖然是巴解的一份子，但他不一樣。我也不一樣：大師說的，我是鷹派。但我是不同的品種。」

米蘭妮可以感覺到他目光凝聚在自己身上。然後他碰碰她的手臂：「你當然會懂，我會否認我說過這種話。」

「當然，」米蘭妮說；「可是你怎麼知道他不一樣？我是說，一開始的時候。」

曼那欽笑道：「三溫暖是第一次見面的好地方。那是我們第一次交談的地方。」

「你是說你們原來就計畫在那兒見面？到三溫暖去？」

「為什麼不。三溫暖是發現一個人長相的最佳場所。甚至還可能有意料之外的收穫。」

「以為我不知道嗎？」自從他們在克羅格尼茨附近上了主要公路，米蘭妮就無法再不時偏過頭去看他，但這一眼卻充滿挑逗。「可是你說他不一樣，我看不出他有什麼特別不一樣的地方。」她其實還想說，正相反，他看女人赤裸胸脯的德行，根本就是很典型的男人。

「我們也交談了。」

「用阿拉伯話。」

「所以呢？當時有那麼多人，那是最方便的語言。而且那表示我願意在他的立足點上跟他討論。」

「昨天下午中場休息前我聽他講話，好像不是這麼回事嘛。」

「那不一樣。有些話他不是講給我聽的，是講給賈麥爾聽的，甚至是講給當時不在場，但以後會輾轉聽到的阿拉伯人聽的。當然，」他抬起一隻手：「他也認為以色列是一個國家。」

「但是他並沒有把你當作以色列的一個國民？」她繼續追問。

「我不以為然，否則他為什麼要答應昨晚跟我見面？還有今天早晨？昨天中場休息時間，我主張以色列絕對有必要以核武為後盾。我追隨本古里昂的立場：在公開場合發表意見，絕不涉及核子彈這種字眼；永遠要說是以核武為後盾；絕不承諾不生產核子彈──只談不使用核子彈。」

「好吧，」阿美德同意道：「聽聽你的假設狀況吧。」所以我給他一個例子：攻無不克、戰無不勝的阿拉伯大軍入侵以色列人口密集地區，擺明了要把我們都趕進海裡。

「你是說，如果四年前的贖罪日之役有不一樣的結果，你們就要動用核武？」他問。

「說不定，」我答。

「所以你承認你們有炸彈囉？」他步步追擊。當然，我根本沒理會這種他自己也不預期

能獲得答案的問題。我只問他是否想聽更多的例子。「好啊，」他說：「再來幾個吧。」

「我們的空軍全毀。」

他笑起來。「你是說，如果只剩一、兩架飛機，你們就會派它們去投擲核子彈？別開玩笑啦。」他說：「我很樂意見到你們的空軍被摧毀，但這種事不會發生的。至少在我親眼看見巴勒斯坦建國前不可能。」他又補充道：「你們會恢復一九六七年以前的國界，而我們——」

「且慢，」我打岔道：「這是巴解組織的新官方立場嗎？不摧毀猶太建國主義實體了？承認以色列了？」

他瞪著眼看我，沒有笑容。「我們是否只談假設狀況，你和我？聽聽看第三個如何？」

他向我挑戰。

「以色列遭到大規模化學武器或生化武器攻擊，」我答道：「或核武器。」阿美德瞪著我，表情跟先前不一樣。我們都知道，這番談話開始有說服力了。

「這種炸彈，化學彈、生化彈、核子彈，由誰來丟？巴解組織嗎？」

「伊拉克怎麼樣？」我問。

「才幾分鐘前，我還聽你說，你們不會當第二，」他說。

「沒錯，」我答，於是我們同意再見一面。就我們兩個人。

「誰又有把握？」曼那欽說。

「你昨天對以色列持有核武的立場相當堅定啊，」米蘭妮說。

「你聽見我那麼說嗎？」

「呃，你沒用那麼多個字——」

「那我就放心了，」他的聲音充滿嘲諷。

米蘭妮可不想這麼輕易就讓他脫身。「你當然是認真的。假設你們有核彈，什麼情況下你們會想到要用？」

「不列入紀錄？」他開玩笑地說。

「我發誓保密。」

「猶太人信不過異教徒的誓言，不過就算我接受好了，即使只有今天下午。順便問一句，你打算在維也納做什麼事？昨晚——」

「那個秘密可以等。我們還有一小時才抵達維也納。你要回答幾個不列入紀錄的問題。」

「米蘭妮，」他收斂了玩笑的口吻：「你知道在某種意義上，我倆之間的一切都不能列入正式紀錄嗎？」

「當然，」她懂他的意思。何況，她又能把跟曼那欽這段戀情告訴誰？「你剛才說？」

「為什麼不？曼那欽想道。我要告訴她的根本不是什麼新聞，至少對在這一行裡有點份量

的人都不是。「我們的問題跟北大西洋公約組織在德國所面臨的情況很類似：面臨只使用傳統武器的敵人大規模進攻，是否使用核子武器？當敵人已深入你的國土，它是否還派得上用場？我們的國家很小，丟下核彈，我們自己的平民也會受害。但是用這種炸彈主動攻擊阿拉伯部隊時機又太早，會帶給以色列無可彌補的政治損害。」

米蘭妮很訝異：「照你這麼說，核彈就沒有用了。跟你昨天的說法正好相反呀。」

「我可沒那麼說，」曼那欽覺得這樣的談話愈來愈有趣了。總算有一次，跟他辯論的對手不是個敵人；他是跟一個心愛的人兒從事知性的討論。他將近二十年沒做這種事了，自從……他往後靠在椅背上，脫離米蘭妮的視線。

「爲了維持辯論的趣味，我們不妨同意，以色列必須先提出警告，才能在戰爭中使用核武器。但倘若我們只是處於擁有核武的邊緣，而且我們用各種方法：謠言、暗示、散佈風聲讓敵人提高警覺呢？這不像美國、俄國、法國、中共那樣大剌剌地公然恫嚇，而是一種欲語還休的姿態。」

「而且不承認你們已經擁有核武？」

「正是如此，」曼那欽答道：「重點是讓敵人知道，最起碼也要他們擔心，這樣他們就不會發動他們自己也知道必然會招致核武報復的軍事行動。同時我們也必須擁有足夠的科技，證明我們可以在短時間內以核武還擊，這才能真正收嚇阻之效。」

「可是以色列不曾像印度那樣做過公開的核子試爆呀。」

「這現在已經沒有必要了，」他信心十足地說。「你可知道，一九六○年代初期，申請前往阿拉摩（Los Alamos）核子研究中心工作的科學家，就有人趁著接受身家背景調查的空檔，利用業已公開的技術文獻設計核子彈打發時間？我們只需證明有發射的實力就夠了。不過，區域衝突也談夠了吧。別忘了，星期三是克齊堡的安息日啊。」

但米蘭妮卻不願意改換話題：「安息日，管它的！你又不是神職人員。何況，我對中東衝突感興趣也是你啟發的。昨天要不是你，我才不會到你那個討論小組去呢。你說暗示以色列有核武實力，可收間接嚇阻之效，所以要談後盾，而不談炸彈。但美國人，尤其是媒體，大多會猜測你們已經生產了若干核子彈。大師也確信你們一定擁有核子彈。」

「我明白了，」曼那欽聲音裡再度滿含嘲諷：「所以我們又得應付你的法國消息來源了。你們真的才認識幾天嗎？你們好像是很好的朋友嘛。」

「我是在克齊堡認識律克的，只比我去找你問席巴女王的事早十五分鐘。到目前為止，我們不過是點頭之交。我大概會滿喜歡跟他作朋友的——說不定我還可複習複習高中學的那點兒法文呢。」她把目光從公路上移開很長一段時間，注視著他：「我覺得我們到現在都還不能算朋友。」

「噢，怎麼這麼說——」他抗議道。

「新戀人？可以這麼說。但是朋友？」米蘭妮想起賈斯汀和他的夫妻三段論：朋友、情人、伴侶。這一排行是否有可能變動，從前她都不曾懷疑過。

「爲什麼不能也作朋友?」曼那欽俯身向前,這樣米蘭妮只要偏一偏頭就能看見他。現在他們已駛到銜接格拉斯與維也納的公路主線;車子幾乎等於自動駕駛。

「得看你對『朋友』的定義。對我而言,這代表相當程度的信任……我的意思是,彼此吐露心事,彼此交心……我們還沒有到那種程度。也許永遠不會,因爲環境可能不允許。」

但他令她意外。「繼續說,」他又倒回他的私密空間,說:「你剛才在談律克·莫倫。」

「他說他跟你認識的時候,他叫『莫拉德』。」探索曼那欽的過去忽然變得比討論以色列核子武力更吸引米蘭妮。

「唉呀,唉呀,」他說:「你們談得還真不少。」他毫不打算掩飾心中的詫異。「不過我們剛認識的時候,他還是叫莫倫。他只有在貝爾旭巴才改名叫莫拉德的。」

「事實上,他說你們第一次見面是在撒哈拉。你去那兒是因爲你的法文很好。」

「不完全是這個原因,」曼那欽笑道:「法文說得好的以色列人多得是。我還是核子工程師科班出身。不過我的母語確實是法文,因爲我生在剛果,在那兒長大。當然我也學過林加拉(Lingala),在有好幾百種方言的剛果,這算是通用語。」

米蘭妮想到律克濃種的口音:「你沒有法語口音。」

「我到南非上寄宿學校。還剩下一點口音,在皇家空軍也磨掉了。」

米蘭妮覺得好像在拼一大片五顏六色的磁磚拼圖。

「但我們談的是大師，」曼那欽說：「不是我。」

「人家為什麼叫他大師？」

「我給他取的綽號。一九六〇年代初，他來貝爾旭巴時。現在人盡皆知，我們迪莫納的核子中心是法國人幫忙建設的，甚至戴高樂下令終止官方合作後也仍在繼續。他是法方的核子大師。他沒學到幾句希伯來文，英語比現在更糟。不過我們之間當然沒有語言的問題，所以我給他取的法國綽號就一直跟著他，尤其在克齊堡的圈子裡，但他不知怎麼開始對反核子擴散問題有興趣，變成了一個鴿派。這是他兩大缺點之一。」

「另一個缺點是什麼？」

「從筆跡看性格。」

她高聲爆笑：「曼那欽，你不是當真的。」

「我認為他懂得的筆跡學不多——他主要就是相信這麼回事。很多法國人都這樣，尤其是商界人士。我常跟他辯論，可是這就像一個天文學家企圖說服一個占星家改變信仰一樣。若說筆跡是一種自我表現的形式，我可以同意，但這跟你早起鋪床或擠牙膏的方式無分軒輊。但一口咬定寫字一撇一捺，或把字母 t 的一橫劃在什麼地方，都能看出這個人的個性，甚至更重要的，他的缺點！我的天哪！」他兩眼上翻。

他的情緒激昂，令米蘭妮吃了一驚：「你怎麼了？聽起來滿有趣，甚至很迷人嘛——」

「有趣？也許吧。可是說到迷人，我認為這是白癡，尤其因為律克連人事安全考核都要用到它。他吹牛說——我希望他不至於太認真——他沒有看到任何一個女人的親筆字跡之前，絕對不會跟她上床。他還以為可以靠筆跡診斷梅毒呢。」他不屑地哼了一聲。

「不過，從另一個角度看，律克是個好奇而聰明的人。好比現在，我們每次見面都要少不得唇槍舌劍一番，他總是表現出驚人的洞察力。去年我指控法國人信口雌黃，他要求我定義什麼是信口雌黃。法國人不這麼說，他們只說 mentir（撒謊）。可是他不肯放過我，所以說：

『給我一秒鐘，我講的是貴國政府，跟這個形容詞無關。』可是他不肯放過我，所以說：『那你就說明什麼是一秒鐘。』我就答道：『就說是一分鐘的六十分之一好了。』

他又問：『那你就定義什麼是一分鐘好了。』我說『一小時的六十分之一。』他又接著要求我定義小時。我打斷他：『你想說什麼？』

「有趣的來了。他問我為什麼不用一秒鐘本身的意義來說明什麼是一秒鐘，因為這麼一來，接下來的問題就不成其為問題了。換言之，不要用意義籠統的信口雌黃一詞，界定法國人令人不齒的行為。」

原本摸不著他這番話重心何在的米蘭妮，聽到這兒不由得笑出聲來。「好吧，」她說：

「那一秒鐘時什麼呢？」

「好問題，只有物理學家才能回答，而且不是隨便一個物理學家，只限少數物理學家。

一秒鐘就是處於基態的銫－133的原子，在兩個超精細狀態層次之間變換，經歷9192631770

個輻射週期所需的時間。」

她張大嘴，瞪大眼：「你怎麼可能會知道？這麼大的數字你怎麼背得起來？」

曼那欽輕笑一聲：「律克提起後，我就去查過，他說得沒錯。所以我把它熟記在心，當作跟物理學家辯論時的利器，也好給別人留下深刻印象。我順便也查了公尺的定義，是光線每秒行經距離的 299792458 分之一。還有別忘了，我們已經定義過一秒鐘是什麼了。」

「你還懂多少諸如此類的東西？」

「就只有這麼多。如果秒和公尺還不足以唬得人肅然起敬——」

「夠啦！」米蘭妮大聲說：「你本來談的是律克呀。」

「是的，律克和我。他待在迪莫納的大部分時間，我們喜歡玩一種談話的兵兵，每個人都想把球發過網，偶爾殺一次球就好。我們交談當然是用法語，這讓他覺得賓至如歸，我則重返少年時代。每當兵兵球賽變成全在殺球，我就知道該告一段落了，但多半是戴高樂的錯，與我們無關。」他停下來，目光凝望遠方的山丘，彷彿實質風景終於取代了他心靈的畫面。但他又繼續道：「我沒法子長時間生律克的氣，但法國目前的立場真是無可原諒。他們不肯賣鈾原料給我們已經夠惡劣了，可是過了幾年，好死不死，他們竟然一百八十度轉變，開始供應核子燃料和設備給伊拉克。全世界所有的國家，他們偏選中伊拉克和薩達姆‧哈珊，這毫無公正可言……」

早晚所有的談話都會匯集到伊拉克和奧西拉克上頭。大部分時間這是說得通的。好比今天早晨跟阿美德，是說得通的。但現在跟米蘭妮，卻是說不通的。

「你知道伊拉克人從未參加過克齊堡會議嗎？」我問他。

「又怎麼樣？」阿美德不屑地說：「你們這班人只會談來談去。」

「沒錯，」我承認：「但得看是誰在跟誰談。」

「好吧，」他說：「談吧。」

我談著，談到我國的莫薩德收集到伊拉克籌備生化武器和化學武器的跡象。

阿美德要我停下：「你幹嘛告訴我這些？」

我提醒他我們昨夜中斷的話題。「這不是假設狀況。哈珊一旦準備妥當，就會使用那些武器。你憑什麼認爲它們只會命中特拉維夫，而不殃及希布倫與加薩？」

「說下去，」他道。

「伊拉克的核子飛彈瞄準了以色列，以色列的巴勒斯坦人不會比任何一個猶太人更安全。還是你只要能摧毀猶太建國主義實體，就情願把以色列境內的同胞都一筆勾消？這種事發生，你還有家園可回？」

「講正題，」他催促我。

我講完，他差點氣炸了。「你要我幫你忙？你瘋了嗎？我有什麼好處？我們有什麼好處？你如果以爲可以用金錢賄賂我就錯了！」

「伊拉克人絕對不會是你們的救主，」我說：「你們應該在以色列的衆多敵人當中做更好的抉擇。」

「那對我們太奢侈，」他苦澀地說：「你們的仇敵就是我們的——」

「可別說『朋友』，」我打斷他：「以你的智慧不會接受這種不確定性。到頭來，以色列人跟巴勒斯坦人必然會妥協，甚至以色列政府與巴勒斯坦解放組織也可以妥協。以色列和巴解組織裡都有很多人不以爲然，但我相信，我認爲你也相信，這一天會來臨。如果有這麼一天，你們跟約旦、埃及、沙烏地……合作，都沒問題，但伊拉克萬萬不可。」

他應道：「你名單上沒有利比亞。」我就知道我的話他聽進去了。

「暫時而已，」他道：「你們要什麼？你們回報什麼？」

「繼續說，」他道：「他們距離不算遠，格達費又太瘋狂，」我告訴他。

那時我才發現克齊堡論壇多麼有用。我只需要重提昨天我建立信心的議題——以求生存爲出發點，而非親善。但今天早晨的辯論對手是屬害攸關的雙方，不是牛津大學班聯會的辯論選手。我堅持，以色列必須知道奧西拉克在進行什麼勾當。莫薩德已收集到足夠證據，確知它不僅是巴格達東南十二哩外的一座核能電廠而已。他們爲何會在一九七六年跟法國協議，建造一座發電量高達七千萬瓦的奧西里斯型研究反應爐？若用作和平能源，他們並不需要這玩意兒。而且伊拉克人爲何捨百分之二十純度的鈾不用，堅持採用純度高達百分之九十三的鈾二三五？那是武器級的玩意兒！根據我們的估計，奧西拉克反應爐若每年消耗十噸這種

鈾，就可產生將近十公斤的鈽！

阿美德即使很詫異，表面上也看不出來。「可是伊拉克已經簽署了反核武器擴散條約了呀，沒簽的是貴國。」他反駁道。

「是啊，」我笑道：「他們也同意維也納國際核能總署派出的稽查員，檢查他們准許外界參觀的東西。你想只要情況有利，伊拉克取消這項協議需要花多少時間？」但我進一步指出，我們需要更具體的證據：核原料在處理、鈽的累積、反應爐重大啓動日期……還有法國、公司究竟在奧西拉克從事哪些工作？伊拉克的鈾是否全由法國進口？他們是否還有其他來源？義大利提供三億五千萬瓦特的塞倫尼型反應爐的傳言是否屬實？後者可是每年能生產一百公斤武器級的鈽。我們的疑問有的簡單，有的卻非常複雜。「你是哪方面的化學家？」我問。

阿美德有點驚訝，然後當他得知我如何發現的，不由得哈哈大笑；我倆間第一次相對開懷大笑。

「無機化學與分析化學，」他答。

「好極了，」我說：「那麼你希望我們用什麼報答你的幫助？」我問。

「我知道信心不能靠錢建立，那太廉價了。」

阿美德點點頭：「你是說，在理論上。」

「當然囉，」我說：「截至目前，一切都只是理論。」

「釋放我們獄中的同志，」他說：「跟你們的政府高層接觸……」

真希望昨天那個英國佬在場——那個對建立信心滿腹狐疑的小子。我提議分批處理，純理論層次。若干有關法國的情報換取若干犯人，核子再處理數據可交換整批的犯人，鈽存在的證據交換跟巴解組織具體協商……

「我再考慮看看，」在米蘭妮和她的紅色金龜車出現前一刻，他這麼說。我們都同意，如果保持聯繫，也一定在克齊堡舉辦的活動當中。除了例行的年會，還有小型的專題會議——大多在歐洲舉行——處理我們在場也不會引起猜疑的議題。

他正待轉身要走，又停下腳步：「要是奧西拉克不僅是個核能電廠？你們以色列人總是聲稱，第一個在中東投擲核子彈的不會是你們，可是你們也不想當第二個。如果伊拉克人在奧西拉克製造核彈，這一點怎麼辦得到？」

「只要及時取得足夠資訊，」我告訴他：「我們就可以既不當第二，也不違反不當第一的諾言。」

「這種事談夠了，」曼那欽雙手一攤，彷彿將糠皮灑向風中。「法國人和伊拉克人不需要我幫忙就可以直達地獄。何苦把我們的時間浪費在他們身上？我們的時間夠少了，只剩三天。」

「說得對，」她伸手握住他的手……「談武器談夠了，至少是那種武器。」

「所以，你對維也納有什麼計畫？」

「你聽歌劇嗎？」她問。

「歌劇？」曼那欽哈哈大笑：「你能想像我在剛果中部度過的童年，看過多少歌劇？或是在英軍服役期間？或是在迪莫納？沒有，我沒看過歌劇，從來沒有過。」

「好極了，」米蘭妮說：「太好了，我就巴不得你這麼說。」

第十一章

米蘭妮指指手邊的《馬卡波拉事件》節目單。「你會想活那麼久嗎？像這個碰到長生不老的仙丹斷糧的歌劇女伶，活了三百歲，仍然性感美麗？」她在玩盤中的起司蛋糕，她習慣聽完歌劇到餐館點一客蛋糕，但今晚她胃口全無。都怪時差，她告訴自己。

「大概不想吧。反正，我也不認同龐塞‧德萊昂（Juan Ponce de Leo/n, 1460－1521，譯註：西班牙探險家，一生精力旺盛，曾建立多處殖民地，參與多場殖民戰爭）」弗教授的聲音有點迷離，每次他想換話題時都是如此。「你知道我感興趣的是什麼嗎？」他本來用手托著下巴，這下子忽然坐直了腰桿……「這份節目表上只說：『普斯男爵一八二七年去世時沒有子嗣，實際上他卻是費迪南‧格瑞哥的父親，費迪南的母親就是知名歌唱家艾蓮‧麥克格瑞哥。』這樣的資訊未免太貧乏了吧，何況這個私生子的故事還是整齣戲的主要情節呢。」

「你覺得有什麼問題？」

「我覺得普斯可能一直都不知道他跟艾蓮有小孩。我猜艾蓮根本沒有告訴他。」

米蘭妮終於把撥弄良久的一小口蛋糕嚥了下去。「看來她也是一位現代的單親媽媽呢。」

「你贊成單親媽媽嗎？」

她抬頭瞪著他，他是說正經的嗎？「我不認為這是贊成與否的問題。很多單親媽媽別無選擇。」

「我知道，」他有點不耐煩地說。「但是以艾蓮為例，」他手指點著攤開的節目單⋯

「財務獨立，事業成功，貌美——」

「慢著！」米蘭妮打斷他：「貌美與此無關。但具備前兩個條件，當然不成問題。」她加重口氣說：「不告訴父親這回事，我可以理解。」

弗教授毫不企圖掩飾他的詫異：「你不可能當真吧？」

「為什麼？就因為雅納切克把它寫成悲劇收場？」她敲敲自己的額頭：「給你洗腦不容易，菲力。除非你有機會看一齣從另一個角度出發的歌劇，我不跟你討論這問題。」

「好比？」弗教授有點困惑，有點挫折。米蘭妮看得出他正搜盡枯腸，想找一齣可以為例的歌劇。

「你一定不會想到我想的這一齣，」她笑道：「我剛想到的是一齣跟亞瑪遜女戰士有關的戲。」

「我們要去聽歌劇？就這身打扮？」曼那欽聽來很擔心，幾乎有點震驚。

「我常穿長褲去歌劇院。你摸摸這質料。」米蘭妮拉過他的左手，放在紫色生絲、腳管開小叉的長褲上。「再看看我的鞋，」她指指油門：「喬登T型繫帶鞋，可別當成登山靴。」

「但是你看看我，」曼那欽拉拉敞開的襯衫領口：「我連條領帶都沒有。」

「靠近我，別擔心。今晚一切看我的。」

手淫和性幻想，我猜對大多數人而言，都是密不可分的。為什麼我會不一樣？嗯，小的時候，幻想也是有的，藍本就是一冊裝禎豪華、介紹南印度寺廟情色壁畫的大開本畫冊。天曉得我怎麼會知道其間關連的，但我不久就弄到一本印度《欲經》。少女時代的綺麗幻想——這種體位、那種體位——都在哥大暗房那場初體驗後數週（頂多數月）內光華盡失。從那一天開始，我的想像就只靠不斷變換場地維繫⋯桌上、桌下、教堂長椅上、牙科治療椅上、亨利摩爾斜臥的銅雕女巨人身上，歌劇院內⋯⋯前三種幻想我確實跟那位性感男助教實習過，但當幻想邁入牙醫椅和銅像的境界，我已經開始跟賈斯汀來往，我有預感他會把這些點子斥為變態，所以婚後獨力追求情慾滿足的階段，我自個兒運用凱格爾方法實踐這些體位，但一旦「做」過以後，所有新鮮感就消失了。

但歌劇卻非如此。與靈魂對話的音樂，以某個音符穿透心靈，就像姻緣天定，完美無比的性接觸，或感官被發乎深處的情慾喚醒。它們以同樣的方式進入心靈與肉體——就像一根珍愛的手指頭或情人的陽具，進入熱切期待的女體。在歌劇院如此公開的場合，我不僅能以凱格爾法給自己快樂，也無須掩飾傳入旁人耳中的性高潮極聲叫喊。我只須要對歌劇相當熟悉，預知何時觀眾會同聲歡呼讚美，就可以縱情高喊，毫不保留地發出從前我只敢在隔音效果絕佳的密室中發出的暢快歡叫。

我不久就發現，其實，這種主要針對韋瓦第、普契尼、唐尼采蒂等人作品的歌劇背景知識，也並非絕對必要。雅納切克的作品只偶爾有掌聲打斷，我很快就學會一套聆賞這種歌劇，尤其是華格納的長篇大作的技巧。手淫的節拍必須跟音樂節拍相呼應——這一心得促使我做了不少出色的家庭作業。但還不僅於此。有天晚上，在大都會歌劇院，我在伴隨《女武神》（*Walküre*，譯註：華格納長篇作品《尼布龍根指環四部曲》中的第二部）而來的悠長狂喜中，分泌了大量愛情蜜汁，不由得擔心會滲透衣服。事實上是沒有，但我從自己的憂慮中忽然省悟，歌劇本來就是一種考究衣著與社交的招搖，所以我所有精心設計的偽裝（包括凱格爾體操本身）都毫無意義可言。最初，演出期間，我總在腿上鋪一件圍巾或西裝外套，企圖掩飾手的動作，但我衣著上一項簡單到極點的創意，使這一招也成為多餘。

如果說我不曾夢想招徠一名共犯，那絕對是撒謊，但這件事始終只局限於夢想。今晚一切都不同。今晚，解放我多年禁忌的曼那欽，會神不知鬼不覺地為我實現夢想。一切都十全

十美。連劇碼都配合得天衣無縫。

我剛決定參加克齊堡會議時，曾經跟奧地利觀光局住紐約辦事處聯絡，打聽維也納的歌劇節目表。這個九月的星期三，克齊堡唯一的自由活動日，國家劇院演出《唐‧喬凡尼》、國民劇院演出《蝙蝠》，新藝術劇場則是一場韓德爾《塔蕾思崔絲與亞歷山大》的清唱表演。最後這家歌劇院我連聽都沒聽過。所以雖然還沒遇見曼那欽，數週前的選擇就已顯而易見。

早在弗教授夫婦把我改造成歌劇迷之前，我跟其他同樣喜歡歌劇的幾對夫婦和若干單身婦女，已隱然形成一個歌劇社團。我們先在大都會附近的「費瑞洛」或「薑餅人」等幾家餐廳會合，興致勃勃地先就預期的內容交換意見，或等歌劇散場後，到林肯中心對街的「歐尼爾」喝咖啡、吃甜點、對演出評頭論足一番。大家都知道，真正的歌劇迷都自命不凡，固執己見，偏見深重，湊在一塊兒就非把別人全都駁倒才甘休。在這種社團裡，挑中極富維也納色彩的《蝙蝠》，一定會被批評為觀光客心態作祟。然而上國家劇院看莫札特的歌劇，雖不足以展現高人一等的品味，至少是無懈可擊。可是韓德爾呢？韓德爾寫過三十多齣歌劇，但除了《珊美麗》和大都會只演過一次的《朱里歐‧西撒》，我只聽過錄音，而且也不過是《阿茜諾》、《阿格莉娉娜》、《奧蘭度》等劇的片段。更妙的是，我從來沒聽說過韓德爾或任何其他作曲家寫過一齣叫做《塔蕾思崔絲與亞歷山大》的歌劇。韓德爾傳記或《葛羅夫音樂大辭典》都沒有列出這齣劇碼。這讓人很好奇，我檢索了大量資料——甚至連普魯塔克

（Plutarch，譯註：西元一世紀的羅馬名人對照列傳》一書最著名，這部作品對十六至十九世紀歐洲文學有很大影響，以《希臘羅馬名人對照列傳》一書最著名，這部作品對十六至十九世紀歐洲文學有很大影響，成為很多文學創作的素材。）和庫提亞斯（Quintus Curtius）的亞歷山大大帝傳都沒放過。我發現塔蕾思崔絲是神話中的亞瑪遜女王，據說她曾要求亞歷山大與她共枕十三天，希望因而生下女嬰，按照亞瑪遜的傳統繼承煙火，但她也承諾，若生出男嬰，會交給父親。

故事本身當然很有趣。但為什麼這齣歌劇沒有留下文字紀錄？我撥電話給維也納的售票中心，請他們把節目單寄給我。他們建議我付一筆相當可觀的費用買一份歌詞，我不消說就接受了。我簡直等不及要把這一顯而易見的瘋狂之舉，向弗教授和其他歌劇同好宣揚，但後來我決定等到從歐洲回來再說。

此外，這家劇場的來歷，也有一段非同凡響的內幕！……這方面的情報，遠比韓德爾的歌劇情節容易取得，因為介紹維也納新藝術時代的書籍多不勝數，而每本書都會提及位於維也納十四區、聞名遐邇的史坦霍夫精神病院和其中的建築名作──奧圖‧瓦格納設計的教堂。為了向全世界宣揚二十世紀初維也納對精神病人的照顧，瓦格納也受託設計一座專供病人和醫院員工使用的劇場。第一次世界大戰期間，基於空間管制法規，劇場被迫改為病房，但後來仍然恢復做劇場使用，而且原來的托內特（Thonet）新藝術風格家具也都保留下來。因此我在維也納僅有的一晚，自然而然選擇了聽韓德爾的清唱會。在瘋人院觀賞一齣歌劇的全球首演，如此良機，誰能抗拒？

國家歌劇院的節目開場都很早，唯獨韓德爾清唱會卻安排到八點才開場，所以他們有充足的時間用晚餐，米蘭妮刻意挑了一家名叫「帕帕加諾」（Papageno）的餐館，聊表她對於未能去觀賞莫札特歌劇的歉意（譯註：帕帕加諾為莫氏歌劇《魔笛》中的角色）。

「一周以來，我們第一次可以挑選食物，」研究菜單時曼那欽說。「克齊堡的生活好像寄宿學校。給你什麼就得吃什麼。你點什麼？」

米蘭妮選了非常典型的奧地利農村菜燜肺麵疙瘩。「我旅行的時候喜歡品嚐家裡吃不到的東西。」

「你只對食物如此嗎？」他問。

米蘭妮正要打開餐巾，她抬起頭回答：「如果你星期一問這問題，答案會是『是的』。」她淺淺一笑：「換做明天，我可能會答：『當然不是。』你呢？」

「目前，我滿腦子只有食物。我午餐沒吃。『悶費』是啥玩意兒？」

「是小牛的肺，炒過再加作料燜燒。」

「我不吃肺，」他很堅決地說：「看看還有別的什麼。」

「你是對所有的肉都有反感，還是不吃內臟？」

曼那欽放下菜單：「如果你知道我年輕時候吃過些什麼肉，就不會問這種問題。」

「那你告訴我，你吃過些什麼？」

「水牛——」

「好了不起啊，」她插嘴。

「讓我說完，」他搬著手指頭點數：「水牛、雞、醃牛肉幾乎天天吃，不過真正的珍饈得算猴子、刺蝟……」曼那欽頓一下，欣賞米蘭妮臉上的表情變化：「最最好吃的首推全身都是白肉的潛水羚。」

「少來了啦，曼那欽，你是開玩笑的。潛水的羚羊嗎？」

他點點頭：「你沒聽錯。牠們食用水底下的植物。不過既然奧地利不出產潛水羚，也沒有刺蝟麵疙瘩，我就點鱒魚配黃瓜沙拉吧。」

「很好，不過今晚你可以自己做的決定就到此為止。」她玩笑地宣佈：「其他節目都得聽我安排。你是我的客人，我先來介紹一下今晚的歌劇吧。」

世界音樂史料缺乏《塔蕾思崔絲與亞歷山大》書面介紹的緣由，都在米蘭妮離開紐約前夕、收到的那份歌詞集冗長的前言中做了解釋。文中指出，這是韓德爾最後一部歌劇作品，直到最近才在都柏林三一學院的圖書館發現手稿。兩百年來，它被歸錯了檔，一直無人查閱。

韓德爾的前幾齣歌劇，包括《戴達米亞》在內，在倫敦公演的票房都很失敗。經理、演出者、劇作者都勸他放棄義大利文腳本，改用英文腳本——他接下來在《彌賽亞》為主的幾

齣神劇中，採納了這些意見。《彌賽亞》一七四二年在都柏林首演，受到熱烈歡迎，甚至超過根據德萊登的詩改編的《亞歷山大盛宴》，這顯然令他確信，以英語創作是正途。

韓德爾也把他的第一齣英語歌劇《塔蕾思崔絲與亞歷山大》，帶到都柏林。這齣戲的腳本大致參考魏司頓（John Weston）一六六七年的舞台劇《亞瑪遜女王》，或塔蕾思崔絲對亞歷山大大帝之愛》。這齣戲從未公演過，不過卻由持有莎士比亞劇本版權的黑霖曼（Henry Heringman）出版。這就賦予它足夠的份量，令經常與韓德爾合作的劇作家詹能士相信，這齣戲值得改編。倫敦的觀眾早被韓德爾三十多齣義大利風格的歌劇弄倒了胃口，都柏林戲迷卻不然，說不定是韓德爾用英語開拓事業第二春的好場所。

預定的演出形式類似神劇，沒有布景，也沒有動作，不料正籌備在費香柏街的新音樂廳演出當中，掌管聖派崔克大教堂的副主教史威夫特半途殺出。他讀過詹能士的劇本，認為這不肯容許忝不知恥的亞瑪遜女王跟婚姻美滿的亞歷山大通姦。一七四二年，史威夫特雖然瘋態已現，副主教頭銜卻還在，他反對，戲就無法開鑼。韓德爾在一七四二年八月十三日離開都柏林，再也沒回去，他生前從未見到這齣唯一的英語歌劇公演。

曼那欽一邊吃他的鱒魚，一邊專心聽米蘭妮說故事。這時他打斷她說：

「你怎麼會知道這麼多事？」他困惑地問：「你不可能每看一齣歌劇都預先做這麼多功課的吧？而且你在克齊堡哪來的時間？前兩天晚上？絕無可能。」

「是這樣的，」她告訴他紐約的情況：「不過大部分資料節目單上就有。」她伸手到座

位旁，打開背包：「就連到維也納的史坦霍夫劇場看戲的歌劇常客，也未必清楚韓德爾的塔蕾思崔絲，所以他們設計了這本節目簡介。」她舉起一本薄薄的小書，就跟平裝本小說差不多大，上膠封面上印著慈眉善目的韓德爾，雙下巴，戴一頂厚重的假髮。「我從紐約飛來途中，就在機上讀完了。讓我告訴你劇情吧。不太複雜，不過我希望你對塔蕾思崔絲有所認識。」她頓了一下，紅了臉，掙扎著繼續說：「尤其是當她唱出第一首詠歎調那一刻。」

「說下去，」他和氣地領首：「可是你認為我對歌劇陌生到連她何時開始唱歌都會不知道嗎？」

「當然不是。不過這齣歌劇裡，時間的拿捏很……重要。」

「時間的拿捏？我只打算放輕鬆，讓他們演給我看。」

「這不可能，」她的口氣可能比預期的更強烈：「我告訴過你，今晚屬於我。你來是當我的客人，你一切要聽命行事。」

「是，夫人。」他舉手靠額，行了個軍禮。「明白了。」

「首先來點巴洛克歌劇的背景簡介。剛剛夠用。」她力持鎮靜說：「這樣你會瞭解作業上的安排。」

「聽來滿軍事化的。」

「說不定唷。」她笑道：「別忘了，亞瑪遜女王就是軍隊領袖。那正是塔蕾思崔絲的職責。接下來注意聽。巴洛克歌劇有很多吟誦部，以類似歌唱的形式對話，同時有大鍵琴的背

景伴奏，那是因爲韓德爾的時代還沒有鋼琴。中間又穿插主角以詠歎調、將內心的感覺與情緒詳加鋪陳。這時你會聽到有其他樂器加入伴奏的眞正音樂。」

「沒有大合唱？」

「我談的是巴洛克歌劇，在發展過程中，合唱愈來愈少。不過我們今晚聽到的這齣，會有一段亞瑪遜女兵的大合唱。總而言之，你對今晚的演出需要知道的就是，音樂的動作大部分都在詠歎調中發生，不在吟誦部分。第一首詠歎調由亞瑪遜女王塔蕾思崔絲唱出，她開始時，你就要把你的手放進我長褲左邊的口袋裡。」

「爲什麼左邊？」

米蘭妮有一陣子張口結舌。她預期會他會發問，起碼是感到驚訝或好奇，卻不是如此實際的問題。但她隨即接觸到他笑瞇瞇的眼睛。

「因爲你是右撇子，所以你應該坐我左邊，狄維爾中尉。」

「明白了。」

她豎起一根警告的食指：「但吟誦時不可以，記住。」

第十二章

米蘭妮發揮狩獵本能，選定了亞瑪遜女王塔蕾思崔絲爲標的物，她以韓德爾的歌劇腳本爲起點，向文學領域追本溯源，費了好一番工夫，在哥大的羅爾圖書館弄到一六六七年出版的魏司頓原作。五十六頁影印的手稿，文字寫得動人，結局卻令她大失所望，照例是男人獲勝，不過，想到韓德爾的編劇詹能士，在改編中已選擇了比較女性主義的角度，她不由得深感寬慰。

如今已被世人遺忘的十七世紀魏司頓版，以亞歷山大爲主角，英俊、器宇軒昂，而且一開場就色迷迷的。他迫不及待想娶剛成爲他手下敗將而喪生的波斯王大流士的美麗女兒、尚爲處子之身的絲妲蒂拉。絲妲蒂拉雖然對亞歷山大芳心暗許，但卻基於國仇家恨拒絕了他。

負氣而慾火高漲的亞歷山大，決定當晚就跟另一個名叫羅珊娜的女子成婚，但亞歷山大有所不知的是，羅珊娜有豐富的經驗，也不打算堅守一夫一妻制。剛回絕亞歷山大的絲妲蒂拉聽

說他即將成婚，傷心欲絕，她對侍女哭訴道：「他怎能這麼快就忘記對我的誓言／要最愛我直到永遠？」侍女很實際地解釋：「不是的，小姐，他飲用別處的泉水／因為你不肯為他解渴。」

但這時，亞歷山大手下一位將領宣佈，亞瑪遜女王塔蕾思崔絲即將到來：

我們看到的女王美麗、風流、驍勇

果真不負民間傳誦的美名：

率領一支豪勇娘子軍，

馳騁沙場，每戰必勝；

軍紀森嚴，旗幟鮮明，

不然我們就成為追求對象。

因為每年這時節，為求後嗣，

她們追逐男性，一方面仇視男人的政府

她們受不了長年跟男人同住，

所以把兒子都還給生父。

根據魏司頓的雙行押韻詩，亞歷山大聽說塔蕾思崔絲想要他的孩子，一口答應：「你讓

我滿心驚訝與歡喜／夫人，只要你願意，我們今晚就成婚。」說話直截了當的塔蕾思崔絲，根本不把如此草率的求婚看在眼裡（「若說到結婚你就會錯意了／我可不想進你的牢籠當乖小鳥」），尤其當她得知亞歷山大還愛戀絲姐蒂拉——後來亞歷山大甩掉羅珊娜（「老實說，她不過是個女人／我不明真相才誤把她當仙女」），終於娶到絲姐蒂拉。亞瑪遜女子短暫的求偶季節中，卻要求堅守全方位的忠貞不貳：

好吧，我們也交換嚴格的婚誓，
未來一年內靈肉結合為一。
這期間我若生育男孩，
就讓他領導你所愛的世界：
若誕生女孩，就注定成為女王
率領全體自由自在的女英豪。
期滿前我絕不事二夫，
你也不可對其他女人有淫念。

亞歷山大自認不可能做這種承諾，甚至塔蕾思崔絲提議試婚一個月（「讓我只擁有你一個月／然後就隨你去愛誰」），他都無法忍受。所以她也同樣拒絕他：「你既如此沈溺肉體

慾望／我也不會交出無畏的真心。／就讓你的奴隸〔羅珊娜〕擁有你的人／不夠完整的男人

我不要。」於是塔蕾思崔絲告辭了亞歷山大的營地。

為了規避誘惑，

我們選擇最保險的方式──獨居，

我們相信這種安全感

遠超過尊夫人所能提供，儘管她們行動比較不自由。

但她還愛戀著亞歷山大，也變得比較謙遜：

自然與公理都獨厚於他，

但他的缺點讓我看不起。

若我為他守身如玉，

你們卻當作家醜不敢外揚：

而我的同胞卻會認為，這個我未能與他

同睡的馬其頓人缺點太嚴重。

米蘭妮認為，灌輸太多與當晚歌劇有關的文學史料給曼那欽，不僅多餘，說不定還倒了他的胃口。所以他在餐廳裡聽到的，只是詹能士改編給韓德爾作曲，而史威夫特副主教認為傷風敗俗，不適合十八世紀都柏林觀眾的改編版。

「你是席巴女王專家，」她開場道，親熱地睨了他一眼：「可能你也研究過古典神話。」

「試試看。」

「亞瑪遜族如何傳宗接代？」

曼那欽不假思索答道：「她們固定出征，逮著男人，強姦他們──」

「饒了我吧！」米蘭妮嘲諷的打岔，雖簡短，也足夠讓他中斷故事。

「饒你什麼？或者我應該說『跟他們做愛』？除非我弄錯，她們一受精就把男人殺了，甚至生下男孩也都殺掉。」

「好吧，好吧。」她抬手做出安撫的手勢。「這是一種版本──男歷史學家的。我們今晚要看的比較可愛，也不那麼殘酷。塔蕾思崔絲不跟亞歷山大作戰，而是由三百女兵陪同，在他對波斯作戰期間去拜訪他，右手握兩支矛，從馬背上一躍而下，大踏步向前，無所畏懼地把他從頭到腳端詳一遍。顯然她對所見很滿意，因為接下來她就宣佈，她專程前來跟他交合十三天──」

「爲什麼十三天？」

「天曉得？」她一揮手就拋開這問題。「但似乎就是這一點引起史威夫特不滿。塔蕾思崔絲顯然知道亞歷山大已婚，不論是跟羅珊娜或跟絲妲蒂拉。但她對他的婚姻狀態隻字不提，甚至完全不以爲意，直接就向他提親。這種作風眞現代，你說呢？」

「亞歷山大怎麼說？」

「得看你接受原劇本或歌劇改編版。我比較喜歡今晚要看的版本。」米蘭妮唸出手頭的節目單本是：「這女人的熱情遠比國王熱烈，逼得他不得不接受。十三天來，她的慾望獲得滿足。然後她回到自己的國家，亞歷山大繼續向安息前進。」

曼那欽揉揉下巴，彷彿在思考一個嚴肅的問題：「出場的角色也包括亞歷山大的妻子嗎？」

「絲妲蒂拉嗎？有她啊。你爲什麼問？」

「自己的丈夫跟別的女人睡十三天，她作何感想？」

「說不定亞歷山大沒告訴她。」

「但她一定聽說了。」

眞奇怪，米蘭妮自忖。曼那欽這個問題一般只有女人才會問，我卻把塔蕾思崔絲當作女英雄。「也許絲妲蒂拉留在馬其頓老家。他可以不在家書中告訴她這件事。」

「快了！」她悄悄聲道。男角扮演的亞歷山大以次高音唱完第一首詠歎調，接下來的吟

誦，米蘭妮一直愛撫著曼那欽的右手；現在五名亞瑪遜女將的合唱隊宣佈，塔蕾思崔絲女王

即將駕到。伴奏樂團跟一般韓德爾歌劇的伴奏樂團相較，特別的華麗，一般通常只有十二把

小提琴、往往沒有中提琴、兩支黑管，再加上一架大鍵琴。但這一回台下坐的是一整排全男

性的樂團，與觀眾席在同一高度，使韓德爾出人意料的宏偉不僅看得見也聽得見：有一個大

型弦樂組，包括大提琴和低音大提琴，伴奏優黑管、巴松管，還有一對簫，另外合唱伴奏部

分還增加了銅管和定音鼓。數字低音樂器不僅有大鍵琴，還有豎琴和雙頸大琵琶，部分吟誦

並由低音大提琴和中提琴加入伴奏。最意外的是，一名身穿燕尾服的高男中音演唱塔蕾思崔

絲時，兩個演奏者把蘇格蘭風笛湊在嘴邊，走到台前。燈光轉暗，樂團調音期間，米蘭妮

批評主角的性別分配說：「我不知道這是韓德爾的本意，還是導演分析他心理的結論。」

米蘭妮弄到的市政廳前排最好的位子，就在熠耀生輝的圓形水晶大吊燈正下方，可以把

環繞白色天花板的金色雕刻飾帶看得一清二楚。但佔據她先前大部分研究精力、保持原狀的

托內特座椅，卻硬得出乎意料之外。即使在念舊氣氛濃厚的維也納，恐怕多半劇場常客也寧

可多鋪幾層軟墊，不要那麼考究貨真價實，樂意拿新藝術那種光滑、儉樸、清雅的暗沉木頭

結構，交換彈簧、海綿與布套。不過，在米蘭妮看來，原始托內特設計的扶手卻多少彌補了

舒適上的欠缺。木製扶手以幽雅的曲線附著椅上，但除此之外，鄰座之間再沒有其他障礙：

從扶手上方或下方，把手擱在鄰座大腿上，都很方便。

曼那欽的位子靠走道，米蘭妮坐他右邊，她右邊是一對衣冠楚楚、不苟言笑的老夫婦中的丈夫。「就是現在！」她再次低語，非常急迫地把曼那欽的手拉進她長褲的左袋才放開。「進去。」豎笛的第一個音符在廳中迴盪時，她命令道。米蘭妮向後靠，大腿略微分開。

「試著跟音樂動作，」她喃喃道，這個訊息從未進入曼那欽的意識。塔蕾思崔絲歌唱的開場：「禁食挑起的食慾／最後會適時獲得滿足」還有指尖通過假口袋，觸及她赤裸肌膚的感覺，都蓋過了米蘭妮的聲音。他很快瞥一眼米蘭妮，什麼也看不出來。她腦袋靠在微彎的高椅背上，身體半臥。翻開的節目單像一片無花果葉，攤在她腿上。米蘭妮已閉上眼睛，但她的右鄰也是如此。純粹主義者以這種方式專心聽音樂，何況《塔蕾思崔絲》不過是演奏和清唱，又不是一場動作緊湊的舞台劇。

曼那欽的手雖溫暖，卻暫時如凍結一般無法動彈。他審慎地讓目光越過彷彿在沈睡的同伴，瞄一眼同排的其他觀眾。大家若非專心盯著舞臺，就是一副若有所思狀。他定睛看著塔蕾思崔絲，好像巴不得她會回望他一眼，右手則輕輕沿著米蘭妮的小腹一動，直到碰著了她的肚臍眼。曼那欽停下食指的探索，藉著眼角餘光極力往右看。確認包括米蘭妮在內，沒有人動彈後，他的小指沿著肚臍的外圍繞環，微微被她的汗水沁濕了。曼那欽只探索過一次米蘭妮身體這個部位——用的是舌頭，無法評估濕潤與否或其中含意的工具。他用小指充當支點和剎車，轉動手掌，直到伸展的大拇指直指南方，然後指頭的剎車從米蘭妮的肚臍退出，以便手掌繼續向下探索，擔任嚮導的大拇指小心地來回逡巡，像緩慢伸縮的舌頭。正當曼那

欽做出一個驚人的結論——米蘭妮長褲裡什麼也沒穿——之際，他來回遊動的拇指碰到了她比基尼式三角褲的鬆緊腰帶，腰線低到她陰毛的上緣搔得他遊走的拇指發癢。他以晚餐時分用餐刀挑起鱒魚肉片同樣的輕靈，將大拇指滑入鬆緊帶之內，直到它扣在他手腕上。

這時該休息一下。他耐心而有把握地來到了目的地：米蘭妮的愛壑。他要把手指攤開，像一隻熱戀中的大章魚，直到她每一根陰毛都在他掌握之中。這動作令米蘭妮產生第一陣明顯的顫抖，也令曼那欽頓時感到一種幾近痛苦的膨脹。他倉卒四望一眼，確定自己的勃起不至於引人側目。然後他目光才又回到塔蕾思崔絲身上，但這次只敢盯著她大張的嘴，因為她的眼睛似乎在觀察他，使他無膽直視。曼那欽再度慵懶而遲緩地將小指挪前，以不斷輕微加壓的方式逐漸深入。小指間感覺到陰道分泌的黏滑蜜汁，米蘭妮大腿分得更開，同時用張開的右手壓住節目單，把曼那欽的手整個蓋在裡面。

如果由米蘭妮決定，他光用小指節奏感地揉弄她的陰蒂，她於願已足——她自己從來沒用過這根手指。但今晚歌劇的亢奮效果不在她控制之中；說不定她也根本不想指揮它。曼那欽的手指，以溫柔卻堅持的壓力，沒有在陰唇處遭遇任何阻力。不久，它就長驅直入，甚至指根都變得滑膩。對曼那欽而言，接下來的遊戲變得更主動、更快速、更急於穿刺……更男性化。他抽出小指，改用更長、更粗壯的鄰指。無名指也深入到了極限，他再度指抽、改插入手淫配件中最長的一根，也是米蘭妮的最愛……中指。但曼那欽可沒有最愛，四根手指都充當陰莖的代用品，輪流進出、進出。米蘭妮想像中，搭配韓德爾音樂的手淫進度應該很緩

慢，卻落入了截然不同的節奏，她感覺這一切不斷加強，急急奔向超乎控制的最後高潮。

「停！」她壓低聲音喘著氣說，抓住他的手，用力夾緊雙腿，緊得曼那欽的中指無法動彈。她轉向他，舌尖碰到他的耳朵：「請你，曼那欽，」她一邊喘氣，一邊略微放鬆大腿的老虎鉗：「請你把手拿出來。」

中場休息時間，人群推擠著通過大廳，地上鋪著有花樣的白磁磚，間雜有綠色的花朵圖案，經過多管閒事的禁菸標誌，來到最外一間小小的吸菸者的避難所。入內時，米蘭妮停步閱讀一塊大理石大石碑上的文字：紀念一九〇七年十月八日法蘭茲約瑟夫一世皇帝主持開幕典禮。他們好像走進了另一個時代。除了當年的維也納，還有什麼地方會花這種講究品味、卻又無謂的心思，在一家宏偉的精神病院裡設置劇場？

但曼那欽慢吞吞地跟在米蘭妮身後，他們的思維都在別處，她的手不經意地掠過他隆起的胯下。「這就是你對歌劇的反應？」她回頭問他。

「對塔蕾思崔絲，確是如此，聞聞我的手。」他的右手掃過她耳際，輕觸她面頰。「現在你告訴我，你怎麼可以指望我等到回克齊堡，」他悄聲道。

「你不必，」她也悄聲回答：「我在一家旅館訂了房間，有大號雙人床。」

曼那欽轉向她，滿臉羞慚：「不能登記我的名字。」

「不用，」她捏捏他的手：「我登記的是連德蘿先生夫人。」

「我拿不出護照。」

「他們不見得要看護照。即使要，你也可以說你把護照忘在克齊堡。我帶了我的——以

防萬一。」

什麼事，她不確定是什麼，讓她從沈睡中驚醒。厚帷幔邊緣透進的晨光讓米蘭妮眯起眼

睛。她轉身查看曼那欽是否仍然熟睡，卻發現他那半邊床是空的。這下子她完全醒了，她聽

見他低沈的聲音從更衣間傳來。米蘭妮跳下床，差點被繞過床角的電話線絆倒，她發現曼那

欽蹲在地板上，電話機擱在腿上，她猜他說的是希伯來文，說得極快，語氣很緊張。

「曼那欽，怎麼了？」

「噓，」他急轉過身，掩住話筒，斥道：「安靜！」

「可是你跟誰通話呀？」她悄聲道，唯恐有什麼緊急的事。

「我太太，」他答道。

第十三章

「整個亞瑪遜神話不都是在讚美單身母親嗎?」米蘭妮為她的歌劇同好講述早被世人遺忘的韓德爾舊作,以及新藝術劇場推出《塔蕾思崔絲與亞歷山大》歌劇全球首演的故事,最後做了這麼一個結論。

「那只是一種非常獨特的單身母親,」弗敎授插嘴道:「但單身母親很多種,何苦到神話裡找——自然界裡的榜樣儘夠多了。你聽說過一種澳洲棕色袋鼠(brown antechinuses)嗎?」

她報以滿臉的茫然,他替她把字母逐一拼出:「時間不早了,我就長話短說。我跳過牠們生殖行爲中比較煽情的部分,只告訴你,光是交配就長達五小時,」他頓一下,等米蘭妮的反應。

「不錯呀,」她很冷靜⋯⋯「幹活的是哪一方?」

「你太人類本位了。雄性不消說是從後方進入，然後牠們就緊緊連結在一起——」

「人類也會做這種事，」米蘭妮說：「不過撐不到五小時就是了。」

「重點不在此，牠們每活動十秒鐘就靜止四分鐘，不斷輪替。」

「我要聽聽那十秒鐘的活動情形。」

「說比做可是要花更多的時間。」弗教授很願意順著米蘭妮的興致往下聊，但說著說著，他覺得自己像在社交規範的邊緣走鋼索。他們觀劇餘興的談話，過去從未涉及與性有關的奇聞軼事——相較於生殖生物學的技術細節而言。「公的袋鼠先用腳爪扣住母的臀部，然後猛力一頂而入——」

「就只有這一頂？」她裝得很失望。

「就一下而已，」他篤定地說。「但力道真的非常之大，所以牠們會連在一塊兒，滾到一旁，然後設法恢復原來的位置。經過四分鐘，又——」

「我明白了。但是你提起這件事的用意何在？」

弗教授看看手錶：「最有趣的部分被省略之後，很難簡要地說明母袋鼠的生殖行為。」

「你是說，還有更精采的？」

「當然，」他點頭道：「接下來還有一個交配完事階段。這種哺乳類在很短時間內完成生殖，產生下一代，照理在數量上而言，兩性分配應該非常平均，但過不了幾個月，卻找不到任何雄性！」他等著米蘭妮接腔。

「發生了什麼事？」

「跟所謂『把妞』（lekking）有關。這種行為模式在某些鳥類當中很普遍：雄性會純粹爲了交配而集結在雌性經常出沒的地方。不過在哺乳類當中很少見。澳洲棕袋鼠是例外。事實上，雌性一懷孕後就離開求偶區，而雄性繼續瘋狂地搜尋其他的雌性。幾天下來，牠們就死於腸胃潰瘍等壓力過大引起的疾病。」他俯身向前，一副非把接下來的觀念交代清楚不可的表情。「所以你看，正常運作下，母袋鼠總是會成爲單親媽媽。更有趣的是，牠們跟你的亞瑪遜很像，因爲女兒總是留在母親身旁，兒子卻一斷奶就被母親踢出去。」

米蘭妮搖搖頭：「故事很有趣，但我的結論不同。依我看來，母袋鼠跟亞瑪遜唯一的相似之處，就是母親偏愛女兒。牠們之所以成爲單親，是因爲生父『把妞』而死。動物世界有很多類似的案例，包括人類。」米蘭妮露出一個令人放鬆戒備的甜笑：「菲力，你瞭解蛇類的性行爲模式物性行爲的故事，作爲回報，我認爲雌蝮蛇跟亞瑪遜更像。菲力，你瞭解蛇類的性行爲模式嗎？」

弗敎授舉起雙手，裝出恐懼的表情：「我怕死了蛇，你怎麼會研究起蛇來？」

「有個瑞士團體向瑞普康申請研究經費，他們希望透過研究瞭解，爲什麼這種雌蛇會跟不同的雄蛇行多次交配。很多物種的雄性都行雜交，這可以用生物邏輯解釋：牠們射精給愈多雌性，就能生育愈多後代。我們可視之爲一種生殖的六合彩，買得愈多，中獎機會愈高。

但雌性這麼做的動機何在？一旦受精，就沒有再繼續交配的理由了。」

弗教授抬起眉毛，故作驚訝狀：「你不至於把這種結論推廣到人類身上吧？」

「我們現在只談蛇。很多物種在求愛階段，都有競爭與剝削的傾向。不僅雄性角逐雌性青睞，異性之間也同樣有一種競爭⋯⋯看哪一方能夠利用對方傳遞自身的遺傳基因。一般情形下，拒絕與接受的大權操縱在雌性之手。通常（人類當然是如此）我們會認為，拒絕乃是女性的勝利，而接受則是男性的勝利。但雌性有沒有可能扮演更積極的角色，就像亞瑪遜一樣呢？她能否將命運握在自己手中？蝮蛇的解決之道似乎就是多次交配。」

「但我還是不懂——」

「那是因為你不懂箇中的巧妙，」米蘭妮露出一絲得意：「然而蝮蛇懂。我們已經在資助這項研究了，」她很快補了一句。

「哇，天哪，」弗教授不由得垂涎地說：「瑞普康掏出大把經費，研究女性雜交的好處？好在你管的不是什麼政府基金會。我可以預見報紙頭條揭發你們浪費納稅人的錢。不過你往下說。我已經開始後悔沒好好鑽研爬蟲學了。」

「說到關鍵之前，你必須先知道蛇類生活的兩大特徵。首先，公蛇不給聘金，也不幫忙帶小孩——」

「別鬧了，米蘭妮。人類也不見得做這種事的呀！」

「你以為我不知道！」她打斷他：「但不僅如此，母蛇還能在排卵期之前好幾個月，就開始把精子儲存在體內。這應該是一種基因避險機制，也是我們的瑞士申請者研究的標

的。」

「避險？」

「沒錯。雌蝮蛇一再跟不同的雄性交配，就大大增加了她儲存的精子的多樣性。」

「然後她會決定哪一份精子最適合繁殖？」弗教授無意掩飾語氣中的猜疑。

「瑞士那批學者就是想確認這件事。當然，換做人類，女人只要挑對男人就行了。」

「或者上精子銀行。」

「都可以，」米蘭妮滿不在乎地說。「不過雌蝮蛇有她自己的精子銀行。問題在於，雌蝮蛇是否運用某種生物機制，從儲存的多個樣本裡，挑選最好的精子，或者她就任憑基因佔優勢的公蛇，以精子擊敗其他競爭者。」

米蘭妮停下來，有幾秒鐘，兩人都不知說什麼好。最後她問：「我們怎麼會聊到這件事上頭來？」

弗教授聳聳肩：「《馬卡波拉事件》裡的艾蓮·麥克格瑞哥，還有單親媽媽這個涵義複雜的詞彙。」

「喔，對了，」米蘭妮歡呼道：「我快要把道理講清楚了。以一個學有專長、經濟獨立的單身女性為例，她的生理時鐘在催促，說不定鬧鈴已經響了。就假設好母親必備的條件她都齊全，但她找不到相配的男人結婚。這是否代表她就不能生小孩，她一定得把自己許配給一個本來不可能考慮的對象？或者萬一她找到合適的男人，可是他不能結婚。好比他已經結

了婚，又不能離婚。」她最後補上一句，好像臨時才想到似的。

「你把整個情況描述得非常細膩，是你剛剛編出來的嗎？」

「反正我不認識這種人，」米蘭妮說。

「不管是不是你編的，都不代表她非得跟你的塔蕾思崔絲有樣學樣——」

「不是我的塔蕾思崔絲，是韓德爾的。」

「管他誰的塔蕾思崔絲。為什麼你說的這位學有專長的單身女性，」弗教授的不滿形諸於色：「不上精子銀行？靠人工受精避險，豈不比學蝮蛇的榜樣來得高明？她幹嘛去跟人通姦？」

「誰講通姦？」

「你說那個男人已經結婚了。」

米蘭妮紅了臉。「我想我是說過。但是在我的假設情況裡，他不過是精子的供應者——不是真正的父親。他甚至不需要知道他的精子被用來生小孩。」

「這怎麼可能行得通？《馬卡波拉事件》裡的艾蓮・麥克格瑞哥再世嗎？不可能。可別告訴我，你也在考慮這種事，你有嗎？」

「我有嗎？」米蘭妮重複道，她的眼光望向遠方。「我想有吧。理論而已。」

「時候不早了。」弗教授抬手招呼經過的侍者拿帳單。「告辭前，我要再次向你道謝，

你這麼快就同意資助雷妞去耶路撒冷的費用，我確信會很值得。」

米蘭妮心不在焉地點點頭：「她打算什麼時候去？」

「初春。她要準備一點臨床研究的資料，若干嚴禁公開的特殊文件，那是我們計畫的關鍵。」

「誰知道呢？以色列是個小國家，所有的學者都互相認識。說不定她會碰到你在克齊堡認識的那個以色列人。你打算跟他保持聯繫嗎？」

「誰知道呢？」

回克齊堡途中，曼那欽在車上也問我：「我們還要見面嗎？」隨即他又糾正自己。「你還要見我嗎？」

「我想要的吧，」我說。

「為什麼不？早在我意外逮著他講電話之前，我就已經知道他結過婚了。除了初見面那幾分鐘，每次交談他都避談自己的過去。雖然我們相識的時間極短，也許正因為短，每次在一起幾乎都只有性行為。性是純粹的情慾，走出奧地利就沒有未來。我不是性飢渴的寡婦，從來就不是。對曼那欽，他放下電話我就得知，他對這件事並非毫無自責。那天早晨，他在回克齊堡途中解釋，我才明白律克為何不願多談曼那欽的第二任妻子。

一九五〇年代末，曼那欽在巴黎市郊的沙克利待了幾個月，這是法國的核子研究中心，

有位比他早去的以色列女技術人員擔任他的副手。照曼那欽的說法，一開始，不過是兩個遠離家鄉的已婚者的一段露水姻緣而已。但感情愈演愈烈，或者情絲難斬，書拉密的丈夫查知了姦情。他不肯默默戴綠帽，不僅斷然離婚，還通知當時正打算前往巴黎的第一任狄維爾夫人。曼那欽和書拉密的婚姻分別以離婚告終，比起接下來有如天譴的懲罰真不算什麼，我想這也就是曼那欽對事件的闡釋：他們第一個結婚週年前竟在沙漠裡出了車禍，書拉密從腰部以下終身癱瘓。從那一天開始，曼那欽就拒絕開車，每天早晨他一定打電話給她。他信守這承諾已將近二十年了。

我們在克齊堡的最後兩天不大一樣，不再以性為主，有較多的互相尊重與親密。難道是因為知道沒有將來，所以我們反而擺脫了各自過去的牽絆？或者我們都決定珍惜彼此給予的肉體歡愉，不多做需索？「下次克齊堡會議見，」臨別時，曼那欽說。「不能更早嗎？」我悄聲問道，但他可能沒聽見，因為我在啜泣。

我但願有一個能談曼那欽的朋友，但我不能談。我們互相承諾保密，不過他答應租一個郵政信箱，以便通信。看精神醫生談內心的事，算不算觸犯保密的承諾？只是我從來不覺得需要這方面的協助，現在也沒有必要。跟菲力談會很有趣。一個表面上忠於一夫一妻制，婚姻持續長久、顧家的猶太男人，對這種事作何看法？

第十四章

「狄維爾博士，」一個女人的聲音：「請等一下，耶胡達‧戴維森教授要跟您講話。」

她電話放得太快，以致他照例要說的「叫我狄維爾先生就可以了」都來不及插進去。曼那欽對於自己沒有博士學位一事向來很自豪，就像英國的外科醫生，他們堅持人家叫他們先生而不叫「達克脫」。但這一回，他其實還想說：「他為什麼不能自己撥電話？」他對於不請別人代撥電話幾乎有種潔癖，即使當上迪莫納核子研究中心主任後也仍然如此。「我打電話是要請你幫個忙。」

「曼那欽，你好呀。」戴維森熱情的招呼立時粉碎了曼那欽的不滿。

「什麼？你這世界聞名的泌尿科專家不先來點前戲嗎？」戴維森與曼那欽當兵時就認識；湊在一塊兒總是言不及義。

「前戲？我該想到才是，尤其我找你幫忙的又是這種事。」

「喔？」曼那欽開始感興趣。米蘭妮的影子一時掠過他腦海，讓他分了心。

「我們生殖生物學部門有位來自美國的印度研究員，想要——」（譯註：當年因哥倫布的誤會，美洲原住民學部門有位度人，流傳至今，中文卻音譯爲「印地安」。所以現在西方語言中，在美國的印地安人混淆不清，中文卻沒有這個問題。）

「好呀，好呀，」曼那欽打斷他：「你們哈達撒現在連印地安人都有了？可別告訴我這位老兄是信猶太敎的納瓦和族，或者是蘇族？」

「很好笑，」戴維森在曼那欽的笑聲中說：「你通通搞錯了。這位小姐是印度來的印度人，也是布蘭岱大學的研究員，來我們這兒做短期研究。不過我打電話給你是有原因的。她是一氧化氮研究領域的高手——」

「我化學讀得不多，」曼那欽打岔道：「而且不碰這玩意兒已經十幾年了。但是醫學院怎麼會學到一氧化氮？」

「你打岔的時候，我正要說。她研究細胞層次的一氧化氮——人體內產生的一氧化氮。這是個新領域，很令人興奮。直到最近才有人想到，一氧化氮扮演一個非常重要的訊息傳送員的角色。」

「『訊息傳送員』。我最喜歡聽你們這批搞生物的傢伙使用物理名詞了。好像你們這些臨床專家很懂電壓學似的。不過你往下說。你這位印度小姐要傳送什麼？」

「曼那欽，」戴維森抱怨道：「你一點也沒變。你又要前戲，可是又不給我一點機會。

庫里希南博士——這是她的名字——感興趣的是……，」他把關鍵句保留了幾秒鐘……「陰莖勃起。」

狄維爾這邊的電話沈默了一會兒：「你說『陰莖』？」

「沒錯。我也一直對這題目很感興趣，因為男人性無能往往構成很嚴重的問題。四分之一的糖尿病患都有這方面的問題。」戴維森覺得，調節談話氣氛最好的方法就是多舉證臨床資料。

「那我能幫你什麼忙？」

「你手下有個新人，約夫德·柯恩博士，做生物工程的——」

「柯恩？」曼那欽打岔道：「他屬於機械工程和電機工程的科際整合小組。」

「你認識他？」

「聽著，耶胡達。我在本古里昂專治各種疑難雜症。換言之，我應該知道誰需要錢，而誰能給我錢。不過以前者居多。也因為如此，我必須知道每個人在什麼地方工作。」

「所以我打電話給你呀。我的庫里希南博士可能希望跟你的柯恩博士合作。她目前的獎助金只夠她再待兩個月，也就是到七月中旬。這筆錢不包括本地的日常開銷，我同意由我們這邊出資，但是到本古里昂的費用——」

「庫里希南博士的錢是向誰要來的？你為什麼不向他們申請追加費用？」

「我考慮過這麼做。但我想到，如果讓他們先完成一些初步的工作，證明我們的觀念確

實有用，會比較有利。如果一切獲得肯定，我們可以多要很多錢，我們雙方的機構都有分。」

「有道理。但既然是醫學方面的應用，你何不打電話給摩許‧普威斯，他是院長——」

「你以為我不知道嗎？」戴維森哼道：「他在哈達撒待了好多年，並非在愉快的氣氛中離開。他到貝爾旭巴，情況也好不到哪裡去。他的成就不能否認，但老實說，我對以色列其他醫學院的觀念都不表苟同。我們沒有足夠的經費——」

「別說了，耶胡達，」曼那欽簡短的笑聲中充滿諷刺：「我的心在流血了。我上趟到史科巴斯山，簡直妒忌得快死了。不僅是你窗外的風景而已。那是我們永遠沒法比的，我還學了不少對付疑難雜症的招數，哈達撒的人都是這方面的行家。」

「聽我說，曼那欽，」戴維森不知道曼那欽中了什麼邪，但無論如何，他不希望話題再朝這方向發展下去。但曼那欽還沒有說完。

「你可曾抽點時間讀讀貴中心走廊裡掛的那些銅牌上的文字？每隔幾公尺就有一塊：什麼『三床病房某某捐贈』啦、『新生兒保溫箱紀念已故的某某某而捐贈』啦、『呼吸器由某某某贈送心臟科』啦。甚至只不過寫著『某某捐贈器材一件』。難道那只是標籤而已嗎？」他哼了一聲，沈默下來。

「你是怎麼了？」戴維森問。

「少跟我哭窮。」曼那欽吼道：「你要知道學術界有多窮，倒不如過來看看，辦一所新

大學得花多少錢。不過我不該對你發脾氣。你不想找普威斯要錢，這種心情我懂，我也相信你的話，一旦證明這計畫有搞頭，我們就可以申請到大筆經費。只不過別忘了，到時我們要分一杯羹。你說『陰莖勃起』。滿吸引人的，雖然我不以為你會把這玩意兒刻在銅牌上。順便問一下，是誰在贊助你那位印度博士的研究？」

「紐約的一家私人機構。也許你聽過它的名字，它非常專業。」

「也許你對，不過——說說看吧。」

「瑞普康基金會。」

「雷妞，」她在耶路撒冷待了三個月回來，弗教授就說：「你說服了我跟以色列合作的計畫值得繼續。但要是你這麼快就要回去，就不可能跟國家衛生研究院申請經費了。事實上，就我所知，沒有一家機構願意在這麼短的時間內處理獎助金的申請。即使私人機構也有個別的規定和程序。你要的又是相當可觀的一筆錢：要贊助你在那兒生活一年——」

「可能需要更多時間，」她打岔：「最好是兩年。」

弗教授豎起一根眉毛：「那麼久？那得花更多錢。但即使第一年——你，哈達撒，還有本古里昂那個人——」

他聳聳肩：「隨便。你們需要至少十萬美金。然後布蘭岱岱的羅森泰中心也要一點費用，

「他的名字是約夫德‧柯恩。」

再加上旅費……就算十五萬好了。」

「你有什麼建議呢？」

「我們到紐約去，」教授提議。「你和我。米蘭妮·連德蘿應該見見你。她應該聽你親口談你那套一氧化氮釋放劑可以發揮什麼作用，還有為什麼以色列是做這項研究的最佳地點。她希望目睹生殖生物學有更多活躍的女性……我們就去給她看看，如果我們把她的專款使用得當，然後也許她會再給我們十五萬……」他兩眼望天，彷彿在向某個掌管生殖研究經費的神祇祈禱。「做做夢總可以的，」他笑道。

「你好，菲力，」米蘭妮握手問候弗教授。「你好，庫里希南博士，我是米蘭妮·連德蘿。」她示意兩位訪客在沙發落座，她坐他們對面一張單人沙發，中間隔一張大咖啡桌。

「說吧，」米蘭妮不多囉唆：「但在你說明計畫之前，我想聽聽你在以色列三個月完成了什麼，還有這項研究能否在比較近的地方進行。」她揮揮手，似乎整個美國都含括在內。

雷妞就像所有的博士後研究員，談起自己的研究可以滔滔不絕。這是他們在弗教授的討論課上一直做的事，她也不覺得到了瑞普康有必要改變態度。畢竟，連德蘿博士也是學科學出身的。

「很好，」米蘭妮開始有點不耐煩。這位年輕女子有很強的自信和組織資料的能力，也

沒有其他獎助申請者到她辦公室就冒出來的恭謹做作，這給她很好的印象，但她的敘述花太多時間了。米蘭妮很清楚弗教授和他的研究員的來意。不是為了證明過去那兩萬五用得多好——反正，那筆錢再也不會回來了——而是要更多錢。多多少？小心翼翼的弗教授要先把前瞻的好處都說完才肯透露。這些她都知道，也很樂見他讓年輕的合作者先出擊。但老半天都還沒有觸及她真正的問題：為什麼繼續跟以色列合作？弗教授打電話來訂約時，已清楚表示他們要合作下去。

如果這名年輕女性不打算自己答覆這問題，她就要把握時間發問了。「我知道，前幾個月是弗教授決定派你去耶路撒冷的⋯他在波士頓地區找不到對這問題感興趣的臨床泌尿專家，而他又認識耶路撒冷的戴維森教授。你們迫切想盡快展開初步可行的研究。瑞普康很樂意提供經費，但既然你的報告顯示很好的前瞻，為什麼不在美國繼續研究？國內有很多合格的研究者，都在海綿體上上下了很多年功夫。」

弗教授從鬆弛的姿勢突然挺身坐起，加上清喉嚨的聲音，顯示他要接手。但雷妞還不肯放棄機會。

「您說得對，連德蘿博士，」她開始說。這是服膺弗教授的忠告，每逢反駁對手時，先稱讚對方幾句，有解除武裝的效果。「但是我們已經超越了海綿體的階段。所以我才去耶路撒冷，不過我的目的不是回耶路撒冷，我希望把研究擴充到貝爾旭巴。」

「貝爾旭巴？」米蘭妮俯身向前，很明顯感到意外。「貝爾旭巴？」她重複道⋯「為什

麼要去那兒？」

貝爾旭巴一詞在米蘭妮身上的效應，讓雷妞吃了一驚。她望了一眼弗教授，但他也同樣困惑。

「我是說本古里昂大學，尤其是他們新設立的醫學院裡的生物工程小組。」

「你去過那兒嗎？」

「是的，」雷妞答道：「我來解釋原因。」

「說吧，」米蘭妮仍保持前傾的姿勢說。

雷妞的敘述井井有條而具說服力。戴維森研究室未發表的報告如何證明，透過尿道黏膜吸收的血管擴張劑，比直接注射到海綿體更有效。她不需要多做解釋，因為米蘭妮完全跟得上。

於是她回頭談更有趣也更耗時間的部分。究竟如何持續而簡便地將仔細定量過的血管擴張劑置入尿道呢？

「這就是需要貝爾旭巴生物工程小組配合的地方，」雷妞結論道：「那兒有位柯恩博士專門從事這類型的研究。這方面的專家不多。戴維森教授鼓勵我跟他討論我們的計畫，所以我到貝爾旭巴去了幾天。」

「然後呢？」

「我們都相信合作會有成果，但這是很花時間的工作……」

「說下去，」米蘭妮面無表情地催促她。

「他們的部門，事實上，整個本古里昂大學經費不足。柯恩博士帶我去見行政部門的主管，探討繼續的可能性。副校長曼那欽・狄維爾博士——」

米蘭妮快速站起身，雷妞愣在當場。她瞪著米蘭妮走到窗前。她背對著客人說：「應該是狄維爾先生。」

雷妞手足無措，轉向弗教授，但他豎起一根手指阻止她輕舉妄動。「等等」他無聲地說。

經過令人尷尬的片刻，米蘭妮回到位子上：「然後怎麼樣？」

「我們談到可能的預算，如何處理三方合作關係……」

這才輪到弗教授接手：「戴維森和雷妞從以色列打電話給我。經過一番討論，我們認為，最簡單就是由布蘭岱出面申請研究經費，再分包給哈達撒和本古里昂。這樣可以簡化通信、後勤、財務報告——」

「還會增加經常性開支，」米蘭妮不動聲色地說。

「我還以為瑞普康不負擔經常性開支，」弗教授反駁道。

「如果你稱之為經常性開支就不負擔。不過像你這種專家，菲力，一定有辦法把經費都爭取到布蘭岱。」她揮手阻止他反唇相譏：「你們打算要多少錢？」

「嗯……」弗教授說：「六位數吧。」

「菲力，菲力，」米蘭妮對他搖搖手指頭，忍不住露出了笑容：「我確信不是十萬零一元。到底是多少？」

「差不多十二萬五千元，」他沒理會雷妞詫異的眼光，忽然減少了兩萬五。她真不知道，他要到哪兒弄這筆錢？

「你打算什麼時候開始？」

「馬上，」雷妞喊道。

「庫里希南博士……或者我可以稱呼你雷妞？」見她如預期地點頭，米蘭妮繼續道：「這麼大一筆錢不能由我辦公室直接撥，你必須按照正常程序申請，不過我可以安排加速審核。你們什麼時候可以把申請表格送來？」

「九月底如何？」弗教授提議。

米蘭妮走到桌前，查閱自己的約會行程。「早一點好不好？九月十四怎麼樣？第二天我就要去歐洲。我可以帶一份影本去。」

「又去開克齊堡會議嗎？」

米蘭妮轉過身才答話：「不是。我去布魯塞爾。出差。跟生殖生物學有關的。」

第十五章

　　衾在倫敦
　　會合於微服出行
　　謹慎的觀念
　　撒種

　　如果被人逼問，米蘭妮會承認這首小詩不是她的獨創，但也不完全是抄襲。有三個字——衾、倫敦、相會——是她自己的。但到頭來，她沒有把它寄出去。第一個字的粗魯直接在她覺得很有吸引力，但三思之後，她不能確定經過一年分別，如此直率是否恰當。「交頸」則有點浪漫的曖昧，似乎更貼切。於是「交頸在倫敦」，就成為她附在信中的版本的第一行。

我親愛的曼那欽：

我對你的慾望之強烈，一再令我感到意外，而經過如此長時間的中斷，卻仍持續存在，更令我大吃一驚。橋樑是一種聯繫，但也是一種阻隔，正如同性的歡愉。我一直引以自豪我們並非一夜貪歡的露水姻緣，但我現在覺悟，四夜貪歡也不見得久長。但我持續的慾念快滿一年了，是否也可以算在內？是否這樣可算是三百三十四夜的貪歡？僅是慾望，是否足夠賦予我們做過的事某種實體。僅僅我的欲望當然不行。但若是我們兩個都有呢？我們共同的慾望呢？

但這就還牽涉到很多其他問題，我不確定是否願意面對的問題，或你是否願意面對（很明顯的，否則一開始就不會是四夜貪歡）。繼續這件事對我們（或我們周圍的人）有沒有好處？我希望繼續。我覺得這是我們一起努力所應得的。不管怎麼說，都不能忽視。不論我們的關係如何，都不在社會規範之內，所以沒有一件事可視為理所當然。我們必須考慮每個細節，可惡極了。

這些問題，我想也是我們努力得來的。一般人需要為幸福努力嗎？

美好的朋友、美好的情人。我們在克齊堡的第一夜，我第一次跟陌生人同床後，我想：跟陌生人做愛最好，因為沒有猜謎，沒有考驗。但克齊堡的最後一夜，你不再是陌生人，證明我錯了。

讓我知道紙牌算命是否顯示英國也有克齊堡。

滿懷思緒的米蘭妮上

米蘭妮把信和詩裝在一個大信封裡，寄往曼那欽貝爾旭巴的郵政信箱——他從奧地利返國，就開了這個私人信箱。信封裡還有米蘭妮收到的下屆克齊堡會議的通知，一九七八年九月在牛津召開。討論小組的名單中有一個叫做「核子恐怖主義」。米蘭妮在下頭劃了線，在旁寫道：「你會去嗎？」

「我知道我吵醒你了，米蘭妮。」曼那欽的聲音聽來有點懊悔：「我直到現在才有空。」

「幾點了，」米蘭妮摸黑拿到電話，沒有開燈。

「午餐時間……不過是在以色列。你原諒我嗎？今天我只有這個時間可以打電話。」

米蘭妮開了燈。現在她完全清醒了。「我原諒你。如果你現在人在這兒，我更原諒你。」

「你沒穿衣服嗎？」他很快地問。

「對呀，當然囉。」她說：「我總是裸睡的。」

「總是這樣嗎？即使冬天嗎？」

「總是這樣。」她堅定地說：「體熱能產生最高熱能，即使一個人睡，再加上毯子包裹得好。不過你打電話來不是要談這件事吧。你要去牛津嗎？」

「當然要去，以色列一定要有代表出席，免得阿拉伯人把核子恐怖主義視為種族主義的同義詞。」他的口吻變得譏諷：「當然，如果真要談核子恐怖主義，以色列倒也未必是少數。可是你自己呢？我沒看到有人口問題的討論小組。」

「沒有這個組，不過我要到比利時出差，所以我決定把時間安排在牛津會議附近──以備萬一。你能早點到倫敦嗎？前一個週末？」她熱切地問：「你能編個理由？」

「當然，」他說：「出差就免不了撒謊。」

米蘭妮笑了起來，但又感到不安。她自己出差從未撒過謊。但她又想到下趟去比利時不算撒謊，但也不盡然是事實。對她的秘書，是去比利時，對曼那欽⋯⋯

曼那欽似乎沈浸在自己的思維裡，還在她耳畔說：「如果一個女人和一個男人需要彼此，如果他們之間沒有謊言或約束，除了共同的慾望沒有別的壓力──」

「是的，」她喃喃道：「你說得對。」

「但他還沒有完⋯⋯「但是最重要的，如果他們同意這麼強烈的交頸不能持久，必須現在就品嚐──」

「你說『但是』是什麼意思？」米蘭妮打斷他。

「誰解釋過『但是』？」曼那欽答道。克齊堡邂逅近將近尾聲時，他也說過這種話，當時她嘲弄他用的另一個「但是」。「但是如果我們經常見面，我很可能會腐蝕你。」

他用「腐蝕」這字眼，讓她覺得有趣。她有點輕浮地回答：「我願意冒這個險。我從來還沒有被人腐蝕過，你可得溫柔一點。」

諸如此類一般不假思索的打情罵俏，話語沈澱在潛意識中，在最意想不到的時候再度浮現出來。就好比今天。

布蘭岱—哈達撒—本古里昂的獎助申請書及時送到，成為米蘭妮飛往倫敦途中的機上讀物。她花了比通常處理獎助申請更多的精神閱讀這份計畫，滿心願意促成。但金額如此龐大的獎助，遠非董事專款所能肆應，非經過董事會批准不可，而後者的決策又主要仰賴外部專家的報告。在這方面，她還是可以發揮影響力，挑選持同情態度的評審者。

她發現自己花在這份計畫書上的時間遠超過預期，一部分因為她對男性性無能，或如申請者含蓄地稱為「勃起失衡」，所知不多。她這輩子的三個性伴侶，都沒有這種失衡問題，而就她記憶所及，瑞普康過去接獲的申請也都不涉及男性性無能。這當然對申請有利。而雷妞·庫里希南也是個利多因素。

但米蘭妮即使一邊翻閱申請書，一邊編纂審核委員名單，思緒仍不斷轉到曼那欽參與的程度上。曼那欽對這項申請知道多少？對他有多重要？對於這段（至少有一部分是）因為他

從未聽說過瑞普康（因此而沒有金錢動機）而開始的戀情，會產生多大影響？

自從上個月弗教授和雷妞離開她辦公室以來，這些問題就縈繞在她心頭。她知道，若非那次會面，她不會寫信，曼那欽也不會天不亮就打電話來，將他們的戀情推進了⋯⋯更加曖昧不明的情境。為這趟行程複雜的旅行做準備之際，她常設想在倫敦見面的情形。她下定決心，這一次絕不容任何陰影存在，她要愛焰真正熊熊燃燒。她甚至在浴室裡搜尋避孕丸。自從賈斯汀去世後，她就不曾用過，用不著了。但她找到一包一九七七年到期的氣泡泡包裝藥丸。她決定用它。我不是要避孕，而是要延後月經。接著是地點方便的問題──既要隱密，又要浪漫。在奧地利，除了歌劇院那次，他們的會面可說全然是即興。所有的場所、房間、床鋪，都是現成的，彷彿等著他們。一切都是順水推舟。

但倫敦這個週末不會是那樣：這絕對是男女幽會，無比的刺激，但也有憂慮。萬一⋯⋯？在奧地利，米蘭妮從未提起這問題──對自己或對情人。

我最親愛的曼那欽：

只是警告你（如果在維也納之後，你還需要警告的話），我已安排妥當倫敦交頸的的後勤細節。我會提早一天，星期四早晨抵達，因為我不想在你到的時候時差還調不過來。我用「我的」名訂定了一間迷人的雙人房──位於瓦靈頓街二號柱廊大飯店的十七號房，位於倫敦的小威尼斯區。我在那兒住過。

我猜你會從奧斯洛機場搭計程車。但像我們這樣一場事先安排的會晤，應該把所有可能性都考慮在內，所以如果你搭地下鐵，這家飯店距貝克盧線的華崴克站只需走半條街，從倫敦市中心搭六號公車，也在同一站下車。

別讓救世主大教堂誤導你，你從地鐵站出來第一眼就會看到它。那是一座教堂，雖然錫皮尖頂上沒有十字架，它的色澤最好的形容就是骯髒的死人頭骨的顏色。我知道你的好奇，所以你即使還不知道那是什麼顏色，也會在抵達前把它查出來。不過別讓教堂影響心情，走過了教堂，就見井然有序的弧形街道兩旁，排列著整齊的白色灰泥建築，一律四層樓，建於一八六○年代。二號是最漂亮的一棟——有點不對稱的兩進結構，有非常幽雅的弧形面牆，二樓有陽台，我們就住那一層。十七號房的細節我暫且保密，因為我想保留一些驚喜。但我忍不住要告訴你（反正建築物前面的古蹟碑也會透透露露這一資料），這是二次大戰期間破獲德國密碼的英國大數學家亞倫·涂靈（Alan Turing）的出生地，佛洛伊德移民英國之初，也住在這兒。走到對街瓦靈頓街上紅磚建築的起點，你還會在七十五號找到另一座藍色的古蹟碑，你的本古里昂一度住在那兒。

最後一個逗你心動的條件。這一區被稱做「小威尼斯」，因為它瀕臨大聯邦運河（Grand Union Canal）。我們會挑一個晚上，手挽著手，沿著某一條羅列著船屋的碼頭，一路走到攝政公園。我們會像戀人一般大搖大擺，因為我相信你我的熟人都不可能會走到那兒去。要不然我們也可以坐船，不過運河的事，得等到我們在十七號房交頸以後。

熱烈期待的米蘭妮

他們坐在倫布蘭花園裡一株大萊姆樹下的長凳上，這是一小塊由公家照顧得極好的園藝精品，位於兩條運河會合處，可遠眺河岸兩旁的船屋。最近一艘船屋鮮花怒放，甲板上滿是盛開的花盆、木桶、掛在窗戶上的花箱、板條箱。米蘭妮倚在曼那欽肩頭，問：「你想可以租一間嗎？下次我們可以約在那兒……」

曼那欽望著長長的樹影倒映在水波中。「想現在就夠了──不要想下次。不知道會是什麼時候。更何況，什麼船能取代你的十七號房？」

這是真的。一個十四、五坪大的房間，配上高高的老虎窗，而且室內高度有三個層次，怎麼可能裝配在停泊在運河裡的一艘窄小的船上呢？曼那欽第一次進入那房間的雙層門，不由得張口結舌。架在室內平台上的大雙人床，必須攀登幾級相當陡峭的台階才上得去，最引人注目的是床正上方那個形似蒙古包的頂蓋，薄紗從天花板流洩而下，香檳色的透明質料，帶一種新嫁娘式的情慾挑逗。

他們在床上的第一個擁抱，非常熱烈而急切，但也帶來很大的滿足。事後，曼那欽從地板上檢起長褲和襯衫，問道：「這間新娘房裡沒有浴室嗎？」然後他才發現，客廳兩側各有一扇經過巧妙偽裝的門，有台階通往第三層。「我的上帝，」曼那欽聽見自己嘟噥：「真奢侈啊！」然後他找到一個大浴缸，他們共浴。

「你怎麼找到這個地方的？」他們互相幫忙擦乾身體時，他問。

「我在這兒住過一夜——」

「一個人？」他好奇地看她一眼。

「是的，」她堅定地說。「一個人。在我遇見你之前。但我答應自己，如果我跟一個男人重返倫敦，一定要住這裡。所以我們來了。」

那天黃昏很暖和，所以飯店在花園裡擺了幾張餐桌。米蘭妮和曼那欽挑的桌子，位於高大多節的洋槐樹下，起碼領班低聲告訴她樹的學名：「Robinia pseudacacia，女士」時，她就高高興興地這麼稱呼它。晚餐很悠閒，談話很自由，但夜色中卻有一份淡淡的不安。米蘭妮主菜吃到一半就感覺到了，那是典型的英國夏日菜，水煮鮭魚點綴著片得極薄而透明的黃瓜，搭配水煮的新鮮馬鈴薯。她在為曼那欽敘述一年來的發展，正談到夏季——事實上是八月初。她該提及弗教授和庫里希南來訪嗎？如果提了，會有什麼結果？討論獎助……聊聊剛起步大學的研究部門財務上多麼捉襟見肘……暗示一定贊助？她最後決定，沒有必要在他們共度的第一天晚上做這種事。

「談我夠了，你呢？你在貝爾旭巴做了些什麼？」話輕易就溜出口。雖然這些問題都無害，但米蘭妮清楚知道這些問題的份量——曼那欽應該也會覺得。但她的好奇心佔了上風。她對曼那欽目前的家庭生活一無所知。她試圖想像他跟半癱瘓的妻子生活的情形，但她

的想像力，卻因自知對這兩個人的瞭解都侷限於二十年前的資訊，而無從發揮。他們現在的生活是什麼樣子？他們目前的關係是什麼性質，在性生活上，在感情上？米蘭妮或能想像前者，但後者呢？

她確信曼那欽就跟她一樣，把他們的姦情合理化成兩個成年人之間的私事，他們慎重地不去傷害第三者。他豈不曾說過，他們的情事不能長久，所以必須珍惜現在嗎？事實上，他沒有用過「情事」一詞──無論那一次或任何一次。

曼那欽試著純就專業的角度答覆她的問題，米蘭妮不確定她該覺得失望或輕鬆。他在迴避嗎？或者現在眞的專業就是他生活的全部？他說話時，聲音非常熱中、興奮，甚至自豪。米蘭妮被他的亢奮帶著走，甚至有一陣子忘記了書拉密·狄維爾。

「以色列猶太人住涅蓋夫的不到一成，但你只要拿起我國的地圖，就看得出未來勢必要開發空蕩蕩的南半部。如果不開發涅蓋夫，到頭來，臺拉維夫、海法、耶路撒冷三角地帶就會人滿爲患。試想，再來一次大規模移民潮怎麼辦？比方說，如果蘇聯肯開放門戶的話。」

他笑道：「我們可以作夢，不是不是嗎？本古里昂是作夢的高手。這提醒我了。如果涅蓋夫未來有發展，就需要在那兒蓋一所大學；全科大學，側重工程和醫學。」他俯身向前：「以我們在迪莫納的核子研究中心爲例。有那麼多科學家和技術人員，它的存在會使得在沙漠中建立高等學府的理想加速實現。想當年，我們也完全是從技術科系化學、物理、工程、一點生物學等開始著手的。而現在我們所有科系都齊全了。你得原諒我，」他聽來有點不好意思⋯⋯

「我們相約『微服出行』，我收到你僅有的那首詩上說的……可是我光會談我的大學。」

「不，繼續說，」米蘭妮喊道。她是真心的。她察覺到目前為止，曼那欽談以色列都是外交辭令，為國家辯護，為政策與生存辯護。但當他從桌子那一頭湊過身來，談到未來，他的眼裡閃耀著令人完全釋疑的坦率和開路先鋒的熱忱，她要知道更多。這是她情人的另一面，現代的一面，剛剛才展開在她眼前。這沒什麼情慾的成分，卻令人振奮。「再告訴我一點，我們還有一天共處呢。」

「而且還有兩個晚上。」他捏捏她的手。「好吧，」他說：「有何不可，不過，我警告你！」他笑著豎起一根手指：「本古里昂的故事可是一發就不可收拾的唷。」米蘭妮也笑了，換個舒服的坐姿聽曼那欽說，他口若懸河，不用換氣，話語彷彿無需中途休息的駱駝隊，自涅蓋夫出發，浩浩蕩蕩而來。

他說：「你得瞭解，十年前，我們大學初生的陣痛當中，貝爾旭巴的生活是什麼樣子。我不以為一個紐約客或任何美國人能想像這種生活。譬如我們的社交生活……極端依賴家庭和舊有的聯繫，現在也依然如此。如果你沒有這種背景，」他輕皺一下眉頭：「在貝爾旭巴會感到孤寂得可怕。」

「電影，音樂會呢？」

「你看吧，」曼那欽得意地喊道：「這是習慣後工業時代生活水準的人會問的典型問題。聽我告訴你貝爾旭巴的現實吧。多少年來，我們只有一個，我重複，一個大禮堂，沒有

冷氣，也沒有暖氣。別忘了，我們置身沙漠，所以冷暖氣都需要，白天開冷氣，看不見太陽、尤其冬天，就需要開暖氣。我記得一個嚴寒的冬天，以色列愛樂的演奏會，鋼琴家演奏柴可夫斯基鋼琴協奏曲時，必須在身旁放一台柴油暖爐，才彈得下去。」曼那欽搓搓手，彷彿記憶中的寒冷凍僵了他的手。

「還有音響！已經十年了，可是我想以色列愛樂再也沒回來過。但大禮堂跟附近四、五家所謂的電影院相比，已經算是我們的卡內基音樂聽了。」曼那欽扮著鬼臉描寫那些電影院：「木頭椅子、水泥地面。他們把汽水瓶在地上滾，吵得不得了。不過也無所謂，因為觀眾一直在大聲說話。」

「說話？」米蘭妮難以置信地問。

曼那欽聳聳肩：「對很多人來說沒什麼不同，因為他們只能看希伯來文字幕。有些人乾脆大聲唸出來。還不止呢，」他帶著烈士的自我陶醉說：「你們吃玉米花，我們的觀眾卻是嗑葵瓜子，當然是滿地吐殼，有時還飛到你脖子上，或者待會兒可以從頭髮上梳下來。我知道這聽來很粗野，但也很有其感人之處。這是一九六七年六日戰爭和一九七三年贖罪日戰爭之間的事…觀眾中有很多士兵、很多新移民…來自北非、羅馬尼亞；第一小撮俄羅斯人、南美洲人……有些人根本不知道電影該怎麼看。這批觀眾也就是我們大學的第一批學生。」

曼那欽忽然嚴肅起來。「我永遠也忘不了第一個畢業典禮……一九七一年吧。學生在全鎮各個臨時據點上課，改裝的商店、旅館等等。當時還沒有像樣的禮堂，所以畢業典禮在電

影院裡舉行。大家都沒有方帽和黑袍，連教員都沒有。大多數學生就穿破破爛爛的軍服。不用說啦！當然也沒有打領帶。我是副校長，我是六日戰爭前夕離迪莫納的，所以坐在台上。忽然見，我看見天花板上有一大群鴿子，想必是從屋頂或屋簷的縫隙鑽進來的。我不斷想著，在某個關鍵時刻，會有鴿子大便落在我們頒發的第一張畢業文憑上。」

米蘭妮以手掩口：「但沒有真的發生這種事，有嗎？」

「沒有吧，」曼那欽說，可是他沒有笑，目光投注在米蘭妮身後。「關於學生，有件事真讓我印象深刻。他們都是役齡的後備軍人。有些人參加一九七三年那場戰爭就走了。別忘記，」他目光又回米蘭妮身上：「我們的學生至少比你們的學生大三歲，因為以色列十八歲就有義務兵役，但他們的言行舉止跟典型的學生並無不同。一旦取得文憑，他們會蹦蹦跳跳，大喊大叫，對觀眾揮手……目睹他們的家人真的很感人。很多都是非常單純的北非猶太人，這是他們一輩子的大事……，」他望著空中搜尋恰當的詞彙，無意識地企圖用手捕捉：

「像發酵——像星期五下午……我們會開放全鎮的臨時大學校舍，安排一些汽水和蛋糕。每個人都到場，也沒什麼別的事可做。但每個人，包括警衛、清潔人員等做粗活的，學生、教職員，大家混在一起，互相交談，不分教育、階級、年齡、來自何處。」

米蘭妮伸手握住曼那欽的手，出於一種她不是很瞭解的衝動，或許只為了分享從他整個人煥發出來的回憶之樂。他心不在焉地領受她的情意，滔滔不絕繼續說下去。

「還有教職員，」他往椅背上靠，唇邊掛著溫馨的微笑。「教職員，」他嘆口氣：「你

可以想像，那是六〇年代貝爾旭巴最頭痛的問題。我們就像當年的道奇鎮，只不過我們的沙漠裡有一大群貝杜因人，不是牛仔。」他瞟米蘭妮一眼。「沒說錯吧？『道奇鎮』？我連它在哪兒都不知道，不過聽來就像個牛仔城鎮。」

「在堪薩斯州，」米蘭妮笑道：「你說那些牛仔教授是怎麼回事？」

「是的，那些教授。是我們的優勢……也是問題。以色列的第一所大學是耶路撒冷的希伯來大學，完全遵循傳統歐洲模式。幾乎所有的教授都來自歐洲……戰後來了很多美國人，很多大學畢業生到貴國深造，不再去歐洲。後來我們在臺拉維夫又建了幾所大學，還有海法的技術學院，等於我們的麻省理工學院或加州理工學院，當然還有雷霍沃特的魏茲曼研究中心，專收研究生。很多教職員和大部分研究人員都屬於國際水準。否則我們也蓋不成迪莫納的核子研究中心。當然，開頭有法國人幫忙，那已經不是秘密了。但迪莫納內部的工作人員都是以色列人。你絕對猜不到我們在迪莫納的第一個問題是什麼。我們有足夠科學家和工程師，卻缺乏技術人員。我們得為他們開課，特殊訓練……我想這就是我們大學的種子。很多迪莫納早期的教師，後來也在我們的高等教育機構裡兼職授課。然後我們才從耶路撒冷、海法、臺拉維夫聘請其他教職員。大多是一流人才。」

「那還有什麼問題？」

曼那欽笑道：「搞學術的人全世界都一樣，對學校出身勢利得很。最初，迪莫納原班人馬之外，第一批外來的教授都來自頂尖的教育機構。他們習慣聽音樂會、看戲、逛書店……

我告訴過你貝爾旭巴是什麼德行，事實上，現在也好不到哪兒去。他們身兼兩份工作，一份在北方，為了照顧家人和小孩的教育、安全感和聲望……但每個人都一心兩用，大學還經營得下去嗎？考慮到最後，就必須有『寧為玉碎，不為瓦全』的心態。」

「你怎麼爭取大家認同呢？」

曼那欽向他眨眨眼：「不容易。以色列人，尤其是資深的學界人士習慣攀關係。」他裝出幾聲咳嗽：「尤其偏好抬面下做交易。我談的不是什麼違法的勾當，而是諸如福利、兼差等，在學者的待遇很爛的國家極為普遍的事。所以我們就進口若干資深的美國教授，大多是滿懷理想的猶太建國主義信徒，他們不屬於既有的系統，對本地作風很陌生。」他再度聳聳肩，裝出謙遜的模樣。「我們請其中某些人當系主任，並且請他們出面招募一批求職若渴的年輕人全職工作，很多人都在國外受過訓練。這一招很管用。」

「我聽說過貴校一位年輕教授的大名，」米蘭妮若有所思地說。

「是嗎？」曼那欽偏過頭，彷彿要尋覓一個不同的角度。「他叫什麼名字？說不定我認識。」

「我不記得他的名字了，」米蘭妮很快答道。「不過你繼續說。你現在最優先的目標是什麼？」

「我們的建設計畫和募款。或者秩序該顛倒過來，因為我們剛開始有點進展的時候，贖

罪日戰爭就爆發了，完全打破了我們的預算計畫，到現在還沒有恢復元氣。現在我大部分時間都在爲一九七二年成立的新醫學院奔走。不過那又是另一個故事了。」

第十六章

「你還有什麼計畫?」曼那欽在湖綠色的沙發上伸長雙腿,他沒穿鞋,在他和米蘭妮的扶手椅之間,十七號房的一片主權未分明的無人地帶泰晤士報週日版扔得滿地。

「等你星期三回來呀——你克齊堡會議的自由活動日。」米蘭妮深陷在椅子裡回答。

「我知道。」曼那欽隔著報紙的廢墟送了她一個飛吻:「可是這中間呢?比方說,明天?」

「我要去國家肖像畫廊看霍爾班(Holbein)特展,說不定還會去泰特美術館。」

「我不大逛博物館、美術館之類的。不過,博物館不是星期一都休息的嗎?」

「親愛的,這裡是倫敦呀,博物館一星期開七天。我還可能趁你在牛津解決核子恐怖主義的難題時,去看場戲。還有拜訪倫敦和劍橋的幾位接受瑞普康補助的得主。」

曼那欽好奇地看著她:「你追蹤所有接受你們基金會獎助的人員嗎?」

「盡可能吧,」米蘭妮答道。

「你也看所有的申請書？」

「能看多少算多少，幹嘛問？」

曼那欽遲疑了一下：「得花好多時間呢。」

「我應付得來。瑞普康規模不那麼大。我們沒有訂截止日期，所以申請書總是一點一點進來。」

「有一天，」他慢慢地說：「你會收到來自以色列的申請。」

「我已經收到了。」她回答，她的眼睛忽然牢牢盯住攤開在腿上的報紙。「我還帶了在飛機上看。」

「你到這兒來了？」曼那欽半站起身。「在這兒？」他游目四顧，彷彿在搜索某個擅自闖入者。「你怎麼不早說？」

「可能跟你不說一樣的理由：它跟『會合』或『交頸』都不相稱。」

「我想我懂你的意思。」

米蘭妮把報紙扔在地上，挺身坐起，面對曼那欽：「自從我做了瑞普康的董事，遇見的男人大多對我有所求。嗯，他們都很客氣──很尊敬。不少人也表現得很含蓄。但我對潛在的募款動機總是很敏感，也許太敏感了。」她的聲音裡帶著反省：「我們第一次見面卻截然不同。你對瑞普康或我的地位都一無所知。你甚至對我的衣著也毫不在意。還記得我問你是否記得第一次見面我穿的什麼衣服，你是怎麼回答的嗎？」

「當然，」曼那欽咧嘴笑道：「我說如果你清楚記得一個女人的衣著，她一定長得不怎麼樣。就好像把注意力放在雕像的台座上。更有甚者，如果它裝飾過多、太複雜，就會轉移觀者對雕像本身的注意。」

米蘭妮點點頭：「這是很好的恭維……或你只是甜言蜜語？就像所羅門對席巴女王一樣？」

「誰曉得，也許都有一點吧。」

兩人都沈默了——時間長得開始覺得尷尬。曼那欽先打破沈默：「現在有人來向你要錢，」他對這房間揮揮手，好像他們周圍撒滿了申請書，「你不至於就此認為我變得跟其他人一樣了吧？」

「曼那欽，」米蘭妮快步走到沙發旁，抬起他的左臂，騰出空間，坐在他身旁：「當然不會。」

「我跟那個申請幾乎沒有關係。」

「我知道，」她拍拍他的手：「雷妞・庫里希南和弗教授到我辦公室來，我就知道全部經過了。但本古里昂大學也介入這計畫，這對我而言，只代表一件事，這是曼那欽的獎助。我沒法子不這麼想。這不是你的錯。」

「弗教授是什麼人？」曼那欽問：「你的朋友嗎？」

「是的。」

「那麼，」他抗議道：「他主持這項研究，這會影響你跟他的關係嗎？」

「不至於，」她說得很慢：「但他不一樣。他是我的多年老友。我們一塊兒聽歌劇

「就像我們一樣。」曼那欽語氣中帶著諷刺。

「不許再說了！」米蘭妮開玩笑地打一下他的手心：「他跟他太太是我歌劇的啟蒙師父。我們一塊兒去聽歌劇，沒有人動我的荷包。」──只除了我自己，她無聲地想道。「有時候，我還跟他談心事⋯⋯」她馬上又補一句：「不只談心，他還給我忠告⋯⋯讓我不要鑽牛角尖。」

「他沒有做過你的情人？」曼那欽緊追著問。

「沒有，」米蘭妮十分篤定：「他結過婚了。」

「我也一樣。」

「我知道。」米蘭妮靠在曼那欽蜷曲的大腿上，她轉身望著大理石壁爐台上的鏡子，發現鏡中的曼那欽正盯著她細看。「可是這不一樣⋯⋯我老早就認識雪莉了。」

「如果你也認識我太太呢？」他們透過鏡子，面面相覷了很長一段時間。曼那欽先把目光轉開，他肯定地說：「不，我收回這句話。第一，這是個愚蠢的假設；第二，這是我的問題，與你無關。可是，米蘭妮，」他捧起她的臉，兩人再度目光相對，這次是直接的，沒有鏡子居間媒介⋯⋯「這在任何其他人身上都不可能發生。甚至如果換個時間、地點，連在你身

上也不可能發生。」他放開她;「不管怎麼說,我很慶幸弗弗教授已經結婚了,而且你認識他

太太,而且她跟你們一塊兒去聽歌劇。」

「菲力不是我的型。」米蘭妮想起他肥胖的身材、大耳朵、靠刻意留長兩鬢掩飾的光禿

前額、學者風範背後的好奇眼神,還有說不完的奇聞軼事。「他是好玩伴,但肉體上他不屬

於我這一型。更何況,他太老了。」最後這句話,帶有就此結束討論的意味。

「多老?」曼那欽不放棄。

「我猜,快六十了吧。」

「我懂了。」曼那欽忍不住輕笑一聲:「老先生了嘛。跟我這種五十六歲的青年不能

比。」他用拳頭搥幾下自己的胸膛。「談其他男人談夠了,回頭談你。你幹嘛那麼認真去看

這些申請書?」他搶先搖搖手說:「我不是指我們的這一份,而是所有的申請書。你不會自

己一個人就做決定的吧?」

「當然不會,」米蘭妮說:「除了一部分小案子,我用董事專款就可以處理的,每筆申

請撥款與否都要由董事會審核。」

「那你還讀申請書幹嘛?」曼那欽鍥而不捨。

「我想知道整個生殖生物學領域的新發展……我也想看看評審的評語。我喜歡觀察他們

的態度。」

「意思是?」

「意思就是：誰恨誰；誰拍誰馬屁；誰比較敬業、公正、有見地……我也做過研究工作，所以我很熟悉競爭場合中打擊對手不遺餘力的各種醜態。我因此特別感謝那些不吝花時間、寫幾句公正評語的評審。但我最樂意的，還是到現場去拜訪我們贊助的對象；見到他們本人；看他們在什麼地方工作；如果是臨床研究，也觀察他們跟病人如何互動。」

「也就是說，你會來貝爾旭巴囉？」

「我不知道──我也不是每個都去看。」她警覺地笑起來：「這筆獎助還沒有通過。何況，根據預算來看，大部分經費都由布蘭岱和哈達撒支配。我承認，我對貝爾旭巴很好奇，」她起身走到觀景窗前：「好奇……但是也害怕。情況可能會變得非常複雜。你覺得呢？」米蘭妮轉身望著坐在沙發上的曼那欽。

他雙手抱在腦後，倚在靠墊上，瞪著天花板說：「很有可能。」

週末的天氣異乎尋常地和煦。曼那欽和米蘭妮重返倫布蘭花園，坐在他們最喜愛的那張位於運河旁的長凳上。整個場景──包括一塊措辭古怪的告示牌：「經過泊船緩慢勿動」──在濃厚的田園情調中，曼那欽稍早被挑起的好奇心卻未稍滅。他自己也想不通，這究竟是為了他實際上牽涉很少的那筆補助，或是他對米蘭妮職業生活真的感興趣。

「你的補助對象……你說你喜歡去拜訪他們。你在這兒要去看誰？」

米蘭妮若有所思地望著他……「你真的想聽有關科學研究的事。」

「當然，」曼那欽興致勃勃地說：「我是個好奇的人——只要題目我有興趣。所以，瑞普康在這兒做了哪些投資？」

米蘭妮凝望兩隻海鷗飛過河面：「不知道牠們跟我們的西部海鷗有沒有關係？」

「為什麼這麼問？」

米蘭妮目光仍在水面上：「我想到DDT對內分泌系統的影響。你可知道DDT和它分解後的主要產物DDE，會模擬雌激素的某些生物效應？」

曼那欽裝出一無所知、驚訝的表情，竭盡所能引她繼續往下說，不去打斷她。

「第二次大戰後，對成千上萬的人，例如尼泊爾的全體居民來說，噴灑DDT，可以防傳染病流行。這麼做救了很多人的命。後來靠DDT控制瘧疾，也保存了數以百萬計的人命。但也使數以百萬計的人暴露於現在認為無法接受的DDT劑量之中。」她變得很凝重：

「誰知道呢？說不定這樣的暴露在發育中青少年身上造成的雌激素效應，許多年後才看得出？」她目光仍追隨著飛舞的海鷗。

「你是說——」曼那欽正要開口，但米蘭妮還沒把話說完。

她轉向他，頭朝飛離的海鷗偏一偏：「不過幾年前，加州大學的麥可·傅萊發現，西部海鷗的雌雄比例嚴重失衡，雌性超過雄性極多。而且很多雄性不孕。」

「瑞普康贊助加州的這項研究嗎？」

米蘭妮搖搖頭，再度轉向遠方的海鷗。「沒有，但是那項研究跟我們兩個英國團體正在

進行的研究可能有關：精子的數量與品質從二次世界大戰開始，都有明顯的下降……不過不是海鷗，而是人類。」

她停頓了一會兒，不知該如何說下去。米蘭妮從來沒有忘記，克齊堡的第一次肉體接觸，她因為沒有保險套而得知曼那欽不孕。但對米蘭妮而言，這件事愈來愈覺重要。自從去年在大都會歌劇院，跟弗教授討論過單親母親以來，她就一直在思考曼那欽「不孕」的程度。最近瑞普康贊助的一份比利時研究報告送到她桌上，她的興趣更是直線上升；報告中宣稱，單一精子授精技術已獲得顯著成功。比利時這項研究尚未公開發表，但即使發表，米蘭妮還是會堅持眼見為憑。身為瑞普康負責人，她不需要任何藉口就可以前往布魯塞爾探視安德烈・范・史泰特根和他的小組。但是對曼那欽，該怎麼說？

最後，米蘭妮決定折衷處理。談論瑞普康的贊助計畫時，只提英國這邊的發展。小威尼斯的海鷗現身，對她有如天助。

「似乎從大戰結束以來，大致跟ＤＤＴ的廣泛使用有關，全世界的男性生殖力都逐漸下降。不對，」她糾正自己：「這樣說太強烈了。英國和丹麥的研究者的統計顯示，過去數十年來，精子數目有逐漸下降的趨勢——」

「下降多少？」曼那欽打岔。

「將近百分之五十。」

曼那欽低吹一聲口哨：「這我倒不知道。」

「而男性生殖系統疾病發生率也幾乎提高了一倍。」

「繼續。」

「我先回頭解釋一下，」米蘭妮說：「為什麼我要收回剛才男性生殖力下降的說法，因為很多內行人都執拗，精子濃度並非男性生殖力的主要因素。當然你需要大量的精子。如果有一億個精子射入女性陰道，只有十分之一能通過子宮頸黏膜，其中又只有十分之一能抵達子宮上端。能進入卵子所在的輸卵管的精子，剩不到十萬個。因此之故，如果男人的精子數量只有數百萬個，例如三百萬個，跟一億個的標準相較，他在實質上就成為不孕。」

「好像我不知道似的。」曼那欽嘀咕道。

米蘭妮立刻抬起頭來，但曼那欽揮手令她繼續。「抱歉，」他說：「我不是故意打斷你。」

「我要講的重點是，儘管精子的數量從一億個變成五千萬個，但只要精子的品質沒有隨著下降，對生殖能力的實際影響未必看得出來。但如果是無法完成精蟲頭粒的反應——」

「這我就聽不懂了，」曼那欽插嘴說。

奇怪，她想。我還以為有不孕症的人不致連這種事都不知道。「我來解釋，聽不懂你就馬上叫停——」

「我不要叫停，米蘭妮，」他說。「我第一次聽你演講，我好喜歡。」他俯過身親吻她

的面頰。

「那我說下去之前，你要再親一下……親嘴唇，拜託，」她答道，並嘟起了嘴唇。

「現在我的演講能力恢復了，我盡量長話短說。精子必須穿透卵子最外緣的透明層，」米蘭妮把右手食指插入緊握的左拳。「這麼做要靠所謂的精蟲頭粒（有點像帶在精子頭上的一頂帽子）攜帶的酵素幫忙。這也就是我們所謂的「精蟲頭粒反應力」，這是精子必須具備的一項能力。當然還有運動力。如果精子游不到卵子那裡，再多的精蟲頭粒酵素都沒有用。而一旦發揮精蟲頭粒反應穿過透明層，精蟲才面臨真正的阻難——卵黃膜。然後它才能進入卵子的細胞質，這才真正產生生殖作用。」

「就這樣嗎？」

「恐怕還沒完。我得先回溯一步。有上萬個精子游向卵子。只有一個能跟透明層結合。一旦那個精子穿入，透明層就會發生變化，使所有其他精子都無法進入。這基本上是一場競賽，只有一個贏家，然後機會的大門就完全關閉。」她笑道：「人生的縮影。」

曼那欽與趣愈來愈濃厚：「這個精子怎麼跟卵子結合呢？」

「喔，」米蘭妮說：「你問的正是目前很多研究的核心。透明層含有多種醣蛋白，稱做ＺＰ１、ＺＰ２等。ＺＰ３蛋白是透明層的主要成分，負責與精子結合、啟動其他作用。它甚至已經可以分離、純化。你可以把ＺＰ３塗在培養皿裡的一顆玻璃珠上；如果拿精子來，它們會上當……它們會衝向塗了印了的玻璃珠，跟它結合，以為那是一顆卵子。」

「我的天，」曼那欽歎道：「但這跟英國的研究又有什麼關係？」

「我不過是給你惡補一下生殖課——我必須強調，整個過程太簡化了。我們贊助的小組做的是較大規模的研究，基本上是流行性疾病的回溯，探討過去數十年來，導致人類精子量與質下降的成因，以及在精子數量以外，還以何種方式影響人類的生殖能力，我們最後還會進行前瞻性研究；也就是說，藉著剔除回溯研究中遭遇的許多不確定因素，挑選若干主題——」

「有哪些不確定因素？」曼那欽插嘴。

「你必須瞭解，目前的結論根據的是五十種以上，由不同研究者，經過數十年時間，對總計約一萬五千名受檢者身上收集的精子樣本和測量結果。這些受檢者的年齡從十七歲到六十四歲不等，他們受檢前禁慾的時間長短，大多沒有紀錄；沒有良好的對照組……所以你可以想見，問題非常多。」

曼那欽已經欲罷不能：「那麼有哪些可疑的因素呢？」

米蘭妮指指已經飛回來，歇在運河對岸、臨流自照的一株大柳樹上的海鷗：「DDT和相關的殺蟲劑嫌疑都很大，因為我們現在知道，它們都模擬自然界雌激素的若干生物效應。雌激素絕對會抑制精子生產和睪丸發育。順便問一下，」她指指曼那欽：「以色列的DDT應用，過去和現在有多廣泛？」

我們也知道這些物質，最初是在一九四○年代釋入環境，

管它的？反正這不是我的問題。我的個案不需要前瞻研究，我已經被研究過了。現在的人，甚至包括我在內，往往不記得五〇年代和六〇年代初，迪莫納計畫剛開始的那段莽撞歲月是什麼樣子。廣島與長崎的原爆，並未提供有關低階輻射對技術人員生殖力影響的可靠數據。所有推動原子和核子計畫的國家，都面臨這問題，但我們的問題可能更尖銳，因為迪莫納的人員整體來說，比較年輕。唯一肯對外界透露工作進展的美國人，處理方式是找「志願者」──華盛頓州與俄勒岡州的囚犯──作對照輻射。可以猜想他們都不是天主教徒，而且同意在實驗結束時做輸精管切除。

但以色列不是美國。他們用囚犯，我們用真正的志願者，也就是迪莫納計畫的俗家猶太人。正如軍官在攻擊行動中要一馬當先，迪莫納的志願者也多半來自高階人員。研究離子輻射意外事故可能的後遺症時，受測者的睪丸暴露在漸增的 X 射線下。測試目標很簡單：他們要知道多少劑量會使精蟲數目減少，導致精蟲稀少症或完全無精蟲；會造成暫時或永久的不孕症。

直到今天，我還記得他們的結論：輻射很容易導致男性暫時不孕，但多半人對輻射引起的永久性不孕相當有抵抗力。大部分人都接受五十倫琴以下的輻射照射，有的多達一百倫琴，少數高達四百倫琴。即使最高劑量造成的不孕，也只維持了兩年。然後他們徵求志願接受六百倫琴輻射的人。

照例，凡是文字敘述做出的結論總不免有例外。在迪莫納，有兩個例外：一個接受四百

倫琴輻射的志願者，以及唯一的一隻接受六百倫琴輻射的天竺鼠──曼那欽‧狄維爾。

「我不知道，」曼那欽答道：「幹嘛問？」

「只是好奇，」她答得很快：「但是除了ＤＤＴ、祛蟲酮等殺蟲劑，還有別的解釋。有些專家聲稱，人類目前生活在『雌激素海』裡。」

「別扯了，米蘭妮，」他不以為然地搖搖頭：「或者照本地人的說法：『您一定在開玩笑，夫人。』」

米蘭妮舉起雙手：「別怪我！首先，我只是報導。其次，他們也不過是用比較戲劇化的手法，指出若干戰後的趨勢而已。我舉幾項，你要聽嗎？」

他聳聳肩：「好啊，請說。」

「一種可能性是戰後體脂肪增加，而脂肪會將我們體內的其他類固醇轉化為雌激素。還有飲食方面的改變，像是植物性產品消耗增加。它們大多含有弱性雌激素類的成分，也就是所謂的植物性雌激素──以大豆含量最豐富。或者還有牛奶消耗增加──」

「得了，」他喊道：「我不想再聽下去了。」

「還有一個嫌犯──與化學藥劑無關的。」她微笑道：「戰後流行緊身褲。穿緊身褲長途開車或坐著不動，會使陰囊溫度升高，不利於精蟲製造。」

「這真是典型的盎格魯撒克遜作風，」曼那欽笑道：「不怪有機化學，怪到義大利時尚

頭上。不過不論科學或時尚，今天都聊得夠多了。」

「那就吻我吧，」她說：「然後我們回旅館。」

他們一早在房間裡用早餐，以便曼那欽趕往派丁登車站，搭七點四十八分的火車去牛津。米蘭妮說：「你迫不及待要參加這一屆的克齊堡會議，是吧？我從臉上就看得出。」

「你現在看到的是我在享受這客炒蛋。」他揮一下叉子上的荷包蛋和香腸，笑道：「你知道，在我看來，美國科技的最佳實例，就是你們的炒蛋。在這兒，點荷包蛋就上荷包蛋。在貴國，有一大套詞彙『單面煎太陽蛋』、『兩面煎半熟蛋』、還有天曉得什麼花樣。廚子不用一般的煎鍋，而是站在一大塊長方形的金屬板前面等候指令。但是很奇怪的，」曼那欽思索道：「這麼一個全世界科學最先進的國家，政府卻最不關心科學家。以目前美國的克齊堡分會爲例。他們吹噓季辛吉曾是他們的一員。但他現在當權了，卻根本不跟這幫人打交道。他那種人認爲，科學和科學家應該隨傳隨到，不能賦予權柄。」他吞下食物：「米蘭妮，你的國家甚至沒有一套國家科學政策。那究竟是長處——不在乎有沒有——還是致命的弱點？」

又一口荷包蛋和香腸。「可是你說得對。我很期待這次會議……情緒很複雜。全世界的科學家和官僚前來討論和辯論重大政策議題，是很令人興奮。我甚至承認，我很樂意爲我國的立場辯護，雖然總是孤軍奮鬥，難免有點寂寞。」

「少來了，曼那欽，我還記得去年。有好幾個人同意你的立場的──即使他們保持沈默。」

「好吧，」曼那欽輕笑一聲：「我修正我的說法：在公開場合以孤軍姿態出現，難免有點寂寞。說到『公開』，其實我真正感興趣的是──也是我每次都來參加克齊堡會議的原因──私底下的會晤，這是任何其他地方都碰不到的。」他把手伸到桌子這頭，握住米蘭妮的手：「我不只是說你和我而已。」

「好啊，好啊，」開幕大會終場休息時間，曼那欽低聲說：「我們卓越的突尼西亞化學家──」

「我不是突尼西亞人，」阿美德·沙雷打斷他：「我生在希布倫。我的父親和他的父親也是如此。」

「抱歉，」曼那欽說：「我該怎麼說才對？」

「稱呼我巴勒斯坦人就好，謝謝你。」

曼那欽點點頭，但沒再說話。他不預期以這種方式跟這位舊識打招呼。「我在與會者名單上沒看到你的名字。」

「你覺得奇怪嗎？」沙雷的不悅還沒有消除。「流離失所的巴勒斯坦人，尤其巴解組織的代表，不對外公開他們的旅行計畫。有太多情況可能出錯。」

「我，」曼那欽答道。「無論如何，我都很高興你來牛津。我一直盼望繼續我們去年的談話。」

「我懂，」曼那欽答道。

「我們『理論層面』的談話，」沙雷的諷刺極其明顯。

「我們的談話不盡然是理論，」曼那欽維持冷靜和緩的語調。「一部分假設情況是……但不完全是。」

沙雷懷疑地看著他：「你跟別人談過我們會面的事？」

「是的，」曼那欽點點頭。「有兩個重要的人。他們同意我們的談話未必屬理論。順便問一句，你會參加今天下午的核子恐怖主義小組討論嗎？」

「會啊，」沙雷答道：「那不又是我們談的『理論』的主題嗎——你對核子恐怖主義的觀點？」

你跟任何人提過我們的談話嗎？」

「是的，一個人。」

曼那欽等他說下去，但沙雷保持沈默。「我們今晚一塊兒吃晚餐好嗎？就我們兩個？釐清理論和事實？」

「有何不可？」沙雷答道。

曼那欽對核子恐怖主義的辯論走向，持悲觀態度，結果證明他的判斷沒錯。正如預期，

埃及代表立刻把核子恐怖主義的定義，延伸至政府級的核子計畫，矛頭尤其瞄準了以色列。曼那欽雖試圖反駁，這麼一來，各大核子霸權國也應該包括在內，卻沒有人聽得進去。

他又嘗試另一條防線：「我們從『生態』的角度，來考慮這個我們大多數人都接受的核子恐怖主義的定義。」他拿筆在桌上敲，直到湊在另一位與會者耳邊說悄悄話的埃及代表，回頭準備聽他說。

「獨立自主的小型恐怖團體可以取得核武器，不僅是添加作用而已。它會改變一切，影響整個政治生態。你把一滴紅色染料滴進一個燒杯的水裡，它不會只把一小塊區域染色，整杯水的顏色都會改變。因此整個國際社會都必須設法在情勢失控前，對抗這一威脅。」

「主席，」很令人意外的，發話者是奧地利那個自命客觀、跟曼那欽針鋒相對的荷蘭人。「我同意曼那欽對核子恐怖主義的危險的觀點。我也很欣賞他的比喻。」

至少他叫我「曼那欽」，曼那欽竊喜，不是叫我以色列會友。但他這點小滿足很快就破滅了。

「我相信這一類比也適用於以色列的核能計畫。」

「謝謝你稱之為『核能』，」曼那欽嘲諷地插了一句。

「我說錯了，」荷蘭人立刻答道：「我的意思是核武器。我認為以色列發展核武，絕無可能只影響整個國際政治燒杯裡屬於你們的那個小角落。它會攪混一杯水──也就是整個中東，甚或全世界。」他轉向曼那欽：「你同意嗎？」

「不同意！」曼那欽答道：「你說的那杯水本來就不清澈。已經髒了、不透明了，徹頭

徹尾地污染了。」

「所以就可以進一步污染它？」荷蘭人問。

「污染是主觀說法。你認爲以色列在污染已經骯髒的政治水杯，我卻稱之爲維持現狀，

也有可能是消毒。」

「我們的以色列會友能否開導大家一下，『消毒』一詞如何定義？」曼那欽很討厭埃及

人這種過分客氣、好像說話對象不具實體似的態度；彷彿這種方式也可以否定以色列的存在

和以色列人生存的權利。

「我認爲我們花太多精神耍嘴皮子（razzmatazz）了，」曼那欽說。

「這又是什麼意思？」賈麥爾疑惑地問，他第一次正眼看曼那欽。

「自己去查字典吧。我是有次在聯合國的會議上聽一個美國人用這個字眼，覺得聽起來

很棒，查過字典以後，發現它的意義也很棒。」他看一眼主席：「現在休會喝杯茶如何？」

克齊堡會議在牛津新學院舉行，這所學院雖名曰「新」，實際上建於一三七九年。曼那

欽是在註冊訂食宿時，發現這一事實和其他歷史軼聞的。本世紀頭二十年，史普納

（William Archibald Spooner）擔任新學院的院長——這位先生就是「頭韻錯置語言錯亂

症」（spoonerism）一詞的由來。曼那欽註冊時領到的小冊子裡，還列舉了若干史普納說錯

的名句——把「我帶你看你的位子」（Let me show you to your seat）說成「我把你縫在床單上」（Let me sew you to your sheet，譯註：即將 show 的 sh 音與 seat 的 s 音位置對調。）——以致史普納式的錯亂句在會議中大爲流行。

沙雷接受曼那欽的建議，爲了維護隱私，他們最好在校園外見面，海街的林肯學院對面，一家位於二樓的印度小館。現在他們對面而坐，啜飲侍者隨菜單送上的冰茶。

「你今天下午眞沈默啊，」曼那欽說：「你對我們的主題持什麼觀點，當然是不對外公開的。你一定很關心核子恐怖主義，凡是有頭腦的人都會的。」

「謝謝你的恭維，」沙雷簡短地答道：「不過我沒有發言的必要。荷蘭人都對你發動攻勢了，他不需要我幫忙。」他微微一笑：「連你那滴紅染料都被用來對付你。順便問一句，你選擇紅色，是聯想到鮮血還是政治？」

曼那欽雙肘擱在桌上，手托著下巴，望著他。「鮮血，」他靜靜地說：「我們所有人的。那麼你的看法呢？」

「我？關於血嗎？」

「不，關於核子恐怖主義。」

「說了也是白說。」

沙雷的尖酸逃不過曼那欽的眼睛。「我不是奉承你：但你的意見對我的意義，遠超過這兒所有其他人。」

沙雷在玩弄烤餅。曼那欽看得很不順眼，他把薄薄的餅皮一再撕裂，撕成小片，卻一片也不放進嘴裡，直到通通變成一堆碎屑。然後他從籃裡再取出一塊餅。「好吧，」他把那塊完整的烤餅放下說：「你聽了也許會詫異，不過我真的覺得你今天下午的話有點道理。我提供你一點資訊，值得你們從監獄裡釋放至少五名我們的人。這也是對我們假設理論的考驗。」

「說下去，」曼那欽說。沙雷湊過身來，他的聲音變得像耳語。接下來大約四分鐘，曼那欽專心聆聽，但室內的旁觀者，不會從他的表情看出任何變化。

「我們看吧，」最後他說：「如果你的情報獲得證實，我們會釋放七個人。五個是為了你所謂的『一點資訊』，兩個是為了表示我們的信念。」

「不是善意？」沙雷問。

「不要操之過及，阿美德。」這是今天曼那欽第一次直呼沙雷的名字：「互信在我們之間，也已經是前進了一大步。」

「我想是吧。曼那欽，說一句很適用於我們的情況的史普納話給你聽，好嗎？」

過去三天來的經驗，使曼那欽很想說不，但沙雷直呼其名的親熱，使他忍不住點了頭。

「對抗騙子。」（Fighting a liar）

曼那欽皺起眉頭：「我不懂。」

「實際上是『點一把火』。」（Lighting a fire）

第十七章

「我還以為克齊堡會議星期三休會，」米蘭妮說。

「我沒辦法早走，」他喃喃道。

「跟那些你在別處見不到的人見面？」

他聳聳肩：「大概是這樣吧。我們在倫敦的最後一晚，你有什麼計畫呢？」

「首先，國家肖像畫廊。」

曼那欽看看錶：「快六點了。」

「星期三特別，他們開到八點。不要問我為什麼要帶你去那兒。」

「小霍爾班和亨利八世的朝廷，」進入大門時，他大聲念道：「你就要帶我看這個？」

見她點頭，曼那欽又道：「有什麼特別的？或者你只是覺得我需要提升一下文化？」

「兩者都是，」她說：「不過前者更重要。」她牽起他的手：「這兒走，上台階。」

他們進入一間窄小、光線黯淡的畫廊，是女王收藏的小畫像特展，大多是黑白的炭筆畫，畫的都是亨利八世朝中貴族與仕女的畫像。曼那欽直接走向坎特伯利大主教威廉·瓦空那幅特別引人注目的畫像，他頭戴黑色主教帽，遮住了兩邊耳朵。米蘭妮星期一來參觀時，也受同一幅畫吸引，因為這位大主教長得有點像弗教授：同樣剃得乾乾淨淨的下巴，同樣親切而洞察人心的眼神。但今晚她有另一個目標。

「來，」她下令道。再度牽起他的手，領他到房間另一頭，那兒掛著唯一一幅不是肖像的畫：「先看這張。」

「啊呀，我的天，」曼那欽喊道，俯身細讀說明標籤。他湊得離這幅小型水彩畫太近，一名警衛匆匆跑過來：「請保持距離，先生。」他用那種通常只在圖書館使用，讓人產生罪惡感的低語聲發出警告。

「所羅門和席巴女王！我從來不知道。」他研究這幅小畫。「Vicistifamam/Virtutibus tuis」他慢慢讀出所羅門寶座底部鐫刻的銘言。

米蘭妮指指說明標籤：「這兒有翻譯：『你的美德已超越你的名聲。』」

「多意外啊，」曼那欽低聲道，目光仍凝注在畫上。他捏捏她的手：「謝謝你帶我來。」

「我不得不啊。」她答道：「畢竟是所羅門王和席巴女王把我們湊在一塊兒的。但

是，」她淘氣地用手肘頂頂他：「水池呢？金魚呢？拎起的裙擺呢？毛毛腿呢？這一切看起來都很──」她搜尋精確的形容詞。「應該說堂皇吧。所羅門是主角，女王連面孔都看不見。」

「這是以聖經歷代志為藍本，不是可蘭經。不過你說得對，」曼那欽思索道：「這麼可愛的畫，卻一點也不性感。像這種版本就不可能撮合我們。」

「告訴我，」她看著畫說，彷彿是對霍爾班筆下的人物，而不是對曼那欽說話：「他們確實有做愛，是不是？」

曼那欽第一次把目光從畫上移開，看著米蘭妮。「多麼現代的問題，」他笑道：「是的，我們都假設他們『熟知』彼此──這是聖經用語。要不然何必費那麼大工夫，去搭個水池，還用到剃毛劑？」

「有沒有提到他們的子嗣呢？」她堅持。

「子嗣？」

「結合的子嗣。我盡量用比較文雅的字眼。女王有沒有為所羅門生下一男半女呢？畢竟，他可沒有不孕啊。」

曼那欽目光回到畫上，盯著雙手叉腰、兩腿分開，高踞寶座上，王者氣派十足的所羅門。「據我所知沒有，」他答道。

至少這一次，氣象報告一反典型的夏季模式：「晴偶陣雨」或「陰雨，但天氣會逐漸放晴」。甚至對天氣滿懷警覺的倫敦人，也終於相信豔陽高照的九月天會持續下去，而把雨傘丟在家中。

米蘭妮和曼那欽從特拉法加廣場走到維多利亞堤防，沿堤防走到泰晤士河中間，站在亨格福人行陸橋的一個半圓形觀景台上，夾雜在匆匆趕往滑鐵盧車站和南岸劇場區的行人中間，悠閒地欣賞動人心魄的倫敦天際線。曼那欽興致動很高，扮成滿不在乎的觀光客，逐一辨識固定在橋欄杆上的一塊大金屬牌上鐫刻的各個地標的剪影，並大聲唸出名稱──從聖保羅大教堂以至克麗奧派拉方尖碑。

「看那艘船，」他偏偏頭，對一艘漸行漸近、載滿觀光客的遊船示意，並翻尋口袋。

「有了，」他樂不可支地說：「一個迴紋針。」他伸手到欄杆外，等船經過橋下時把迴紋針丟下去。「如果天上掉下一個迴紋針，落在你頭上，你會怎麼說？」他像個頑皮的孩子咧嘴嘻笑。

「簡單，」她毫不遲疑地說：「我會把它當作上天的旨意，要我把當下的思緒扣在舌頭上。」

曼那欽有一陣子覺得很有趣，甚至有點驚訝。「這個答案好複雜，」最後他靠在聖保羅大教堂上說：「你到底是什麼意思？」

「把我當下的想法說出口。」

「是什麼?」

「來吧,」她雙手抱胸說:「我們散步回去的路上聊。先到河濱大道去搭六號巴士回旅館。這是我們在倫敦的最後一夜,而我們還不曾像觀光客一樣,一塊兒坐坐雙層巴士上層的第一排呢。」

「曼那欽,你可曾想過要個小孩?」扣在米蘭妮舌間好幾天的問題,終於獲得自由。他們還在橋上,並肩而行。但就在她發問的當兒,分隔人行道和鐵軌的鐵絲網另一頭,有一列火車轟隆轟隆駛過。

「我可曾想過要什麼?」他在逐漸遠去的火車噪音中大吼。

「小孩?」她重複道。

他停下腳步;即使他受了驚嚇,也沒有透露出來,頂多挑起一條眉毛。「這是從霍爾班的畫得來的念頭嗎?」

「不是的,」她斷然回答:「早就有了。有一段時間了。」

他們站在橋頭,再走幾步,就下到大街上。「你問,我可曾想要過小孩。可曾這個字眼可複雜了,就像『愛』與『恨』。如果你真的要問『可曾』,答案大概是『是的』,至少也不會是『不』。」

「我並不反對這念頭,」他們沿著維利爾街走向河濱大道時,他又繼續道:「但它也不

在我的優先考慮之列。」

你的妻子的優先考慮呢？米蘭妮很想問。但她沒開口，因為曼那欽滔滔不絕談起他的生涯——戰後他以皇家空軍退伍軍人的身份入曼徹斯特大學，他參加哈迦納（Hagana，譯註：猶太建國主義的軍事組織，二次世界大戰後，曾在西方國家從事恐怖活動，爭取將猶太人大量移入巴勒斯坦）的地下活動，以及剛獨立的那段日子——再三強調他幾乎沒有機會考慮生育兒女的問題，最後他終於透露了一個她一直想知道的訊息：「我三十多歲時⋯⋯忽然變成不孕。所以生孩子的問題也嘎然而止。而我又對領養沒興趣。」

「你是說你志願⋯⋯成為不孕？」米蘭妮知道這種問法聽來很扭捏做作，但她就是說不出「輸精管結紮」這幾個字。

「不，」他說：「我做的不是這種選擇。但是談我談夠了——」

「再一個問題，」她打斷他：「如果你可以恢復生育能力？如果——」

這次輪到他打斷她：「現在談任何『如果』都太晚了。」

「可是，曼那欽，很多男人五十幾歲還生孩子的呀。」

「我談的不是年齡，」他說：「以我現在的狀況，太困難了，沒有可能。你自己呢？」

他轉身望著她的眼睛：「你要孩子嗎？」

「我要孩子嗎？」米蘭妮絕少重複問題而不作答。她最討厭別人這麼做，尤其是女性，而她自己除非需要時間考慮回答的方式，否則從不如此裝腔作勢。現在她就是故意利用這一

招。時間？時間正是她的問題癥結所在。

「是的，」他輕聲說：「我想要小孩。」

「曼那欽，」她在他耳畔低語：「我要懺悔一件事。」她赤裸躺在他懷中，在帳篷似的床蓋下。「還記得我們第一次做愛嗎？」

「我怎麼忘得了？」他也低聲道。

「你快要進入我的時候，我阻止你，因為你沒有戴保險套？」

「是，」他悄聲說：「可是後來你又讓了。」

「是啊，每次都讓，但是今晚不行。」她的嘴唇那麼貼近他的耳朵，她的呼吸讓他全身發抖。

他已經亢奮到極點；現在他退回來，注視她的眼睛。唯一的光線是從觀景窗透進來的街燈。「怎麼？」他抗議道：「這是我們的最後一夜呀？」

「過去兩天，我陰道有分泌物。」她喃喃道，把面孔藏在他肩膀下面。「可能只是酵素感染，但我不想傳染任何毛病給你。我們還是用保險套吧。」

「但是我沒有保險套呀，」曼那欽毫不試圖掩飾他聲音裡的怒氣：「你怎麼不早說？」

「因為我帶了一個來，」她開始按摩他的陰莖，溫柔而有耐性。「不要講話了……現在是交頸時間。」

她一覺得他開時膨脹勃起，就伸手到她那一側的床頭櫃上，她早已放好了一個美麗斯牌精子收集袋，這種醫療級的塑膠材質幾乎不致損害精子。她在紐約買了好幾個，甚至還練過用單手將它套上連皮香蕉的技巧。上次的成功使她確信，這麼做沒什麼困難，因爲精子收集袋比傳統的保險套寬鬆，但下一步就比較頭痛——也沒法子用香蕉練習。一切得看男人的知覺是否敏銳。

『將鬆緊帶套在龜頭上（見圖）。鬆緊帶不致限制陰莖，並具有兩種功能，即防範收集袋滑脫，並納入所有射出精液，』包裝上的說明是這麼寫的。紐約的香蕉很好擺佈，但曼那欽卻不然。

「你在幹什麼？」他喊道，試圖從仰臥的位置爬起來。

「放輕鬆，」米蘭妮喘著氣，蹲坐在他膝蓋上，使他無法動彈。她用左手的三根手指頭把鬆緊帶撐開，然後靈活地用右手將收集袋套在龜頭上，滿心感激他切除過包皮，所以鬆緊帶格外不易滑脫。她力求效率，來不及講究溫柔。

「好了，」她裝出呻吟聲，一手握緊他已經縮小的陰莖，另一手抓住他的陰囊：「求求你……求求你……」她把他的龜頭塞進陰道，跨坐在他身上，直到她覺得鬆緊帶已通過她的陰唇。「現在輪到我來肏你，」她覺得他再度膨脹起來的陰莖充滿她裡面，不由得心中大喜。讓曼那欽射精成爲她專注的目標。她毫不留情地在他身上扭動，小小的乳房上下跳躍，直到他發出幾聲響亮而疲憊的呻吟，把她扳到他胸前。而米蘭妮也適時發出令人信以爲眞的

歡叫聲，並且努力在他頸邊抽搐身體。她過去從不需要在曼那欽面前僞裝高潮。

「等著，」他沈重的呼吸逐漸緩和下來，她下令道。以臨床醫生的審愼，她把收集袋從他的陰莖取下——迫不及待要在性愛後的四肢無力和事實被發現前完成工作。她不曾忘記印在包裝上的說明：取下後，將精液集中於收集袋前端，將收集袋對折後，以鬆緊帶束緊。

「等一下，」她再次說：「我一眨眼就回來。」

她從浴室回來後，發現曼那欽半身坐起，背後墊了好幾個枕頭。他說：「我幾十年沒用保險套了，怎麼還用鬆緊帶？這是新設計嗎？」

「是啊，」她挨近他，一邊臨機瞎掰。「我喜歡那種摩擦的感覺。而且可以預防細菌進入這個寶貝頭。」她碰碰他柔軟但仍濕潤的陰莖。

他還在惋惜：「保險套加鬆緊帶，我們的最後一夜。」

「噓，親愛的，」她說，把他的腦袋摟在胸前，輕輕搖晃他，她的奶頭輕觸著他的鼻子、嘴唇、面頰。「今晚不會再有保險套了。」

那個倫敦的九月夜晚，米蘭妮有兩個第一次⋯⋯除了在曼那欽面前僞裝高潮，她也從不曾爲任何男人口交一直到射精。他的精液雖然有點酸，味道卻也不算不愉快。

米蘭妮已收拾停當，只等計程車來載她去奚斯洛機場。「所以你要去布魯塞爾了，」曼那欽說：「你打算什麼時候回紐約？」

「很快，」她答：「說不定還在你回以色列之前。」

「順便問一下，跟你合作的是比利時那個機構？」

「伊克西，」她說。

「這是啥？」

「就是ＩＣＳＩ四個字母連續唸，」她逐字母拼出來：「也就是『細胞質內精子注射術』。」

「啊，」他抬起頭：「伊克西有什麼作用？」

「來不及講了，親愛的，」米蘭妮答道：「我的車來了。」

第十八章

我第一眼看到史泰特根申請補助的計畫書標題：「伊克西與蘇西（SUZI）之爭」，就很有興趣。聽來像一樁法律訴訟或摔角大賽。這是瑞普康第一份來自比利時的申請。我看完最後一頁，確信董事會會通過此案。

我並不欣賞字首字母縮寫字，但伊克西和蘇西都是好名字——很可愛的小孩名字。尤其蘇西，後來我才知道它的全名是「透明層內人工受精術」（subzonal insemmination），亦即把精子注射到透明層之內，然後聽任其自然發展。結果我還是選擇了伊克西。倒不是因為它的定義「細胞質內人工受精」更進一步，亦即直接把精子打入卵子的細胞質，而受精成功的定義就是精子進入卵母細胞的細胞質內。我的想法是，既然要做這種事，就要做得徹底。而與其他所有務實的考慮比較，更讓我打定主意的是伊克西提供更動人的回憶：我仍然可以再懷孕。想到這兒，我就決定了。何況，史泰特根在計畫書上就提到，未來評估成功率時，

伊克西必定佔上風。

我沒見過史泰特根，也沒見過他率領的生殖醫學研究中心的任何一名小組成員。不過我看過照片。如果要我用簡單幾句話描寫他的長相，我勢必會用「一般」這種字眼：中年，中等身材，不算太壯，也不太瘦弱；理短髮，髮色銀灰，有一種令我聯想法國商人或政客的髮型，不分邊，往後梳。細框牛角眼鏡算是他臉上最引人注目的部分：深凹而銳利的眼睛總是睜得很大——即使嘴邊露出微笑，他的眼神還是很嚴肅。但照片其實不太像他本人。他來布魯塞爾機場接我，聽說我要直接趕往他的實驗室，因為我攜帶有敏感的材料時，他的眼睛跟嘴角同時展露笑容，他還為我上了一課當代比利時的政治實況。

「你知道我們不是法語系統的布魯塞爾大學的一部分吧？我們屬於荷蘭系統的布魯塞爾大學，所以你的精子樣本會在法蘭德斯實驗室，而不是瓦隆實驗室裡接受檢驗。今天早晨，我唯一想知道的是曼那欽到底還有沒有具活動力的精子——夠不夠使合格的卵子受精。所有其他的一切，都還不只是假設。」他以一種討人喜歡的、有點自我批判的方式笑起來，但我只客氣地點點頭。

從倫敦出發的短程飛行途中，我把比利時最新進展的報告又讀了一遍。我已經用黃色螢光筆，在某些句子上面做了記號：

伊克西程序基本上就是，自一滴含有百分之十聚乙烯吡咯烷酮的緩衝爾氏溶液中，吸出一個精子。卵子則由吸量管吸住固定，置於放大四百倍的尼康 Diaphot 逆轉顯微鏡下，此時

將吸住精子的注射吸量管推入卵子的透明層⋯⋯伊克西法甚至可挑選圓頭的精子，雖然正常情況下，它們因缺乏精蟲頭粒而無法使卵子受精。

我想起我在小威尼斯運河畔給曼那欽上的課：關於精子的精蟲頭部含有一系列穿透我的透明層必備的酵素。當然，我當時沒有說是包在「我的」卵子外面的「我的」透明層，但那時我想的已經是我的卵子了。曼那欽，我對皮包裡那個精子包低語。我不在乎你們缺少哪些精蟲頭粒酵素。伊克西會解決這問題。只拜託你們只要活著就好，你們之中只要有一個就夠了。

我不知道瓦隆實驗室檢查精子樣本有多快，但是法蘭德斯實驗室幾小時內就送回結果。當天傍晚，史泰特根和診所主任保羅·戴福洛伊來接我去共進晚餐，他對我做了個一切順利的手勢。

「有可能，」他說：「不過並非十分有把握。似乎有足夠有用的精子游來游去。當然，我們還得檢查妻子才行，她能來布魯塞爾嗎？她住在哪兒？」

我無心理會他的問題。我早已仔細讀過「妻子」該履行哪些事項：首先，以下視丘賀爾蒙和促性腺激素類似物，強烈刺激卵巢，產生大量成熟的卵子——這一步手續可以在任何地點進行。然後才有必要前來布魯塞爾，將卵子取出，然後在顯微鏡下，為每個卵子注入一個精子。然後就要靠禱告了。祈禱至少有一個，最好有數個卵母細胞受精，然後可將至多三

個受精卵，在四十八小時內植入女方子宮，然後更用力地禱告，未來十天之內，她的絨毛膜促性腺激素會上升。剩下的部分——包括懷孕滿七週的臨床超音波檢驗確認，接下來的羊水採樣和遺傳基因諮詢，然後再起碼半年的等待——可以在家裡完成。所以他們談的無非是在布魯塞爾停留兩週而已。我都知道了。我讀過好幾份個案報告，熟記成功率——五次中有一次成功——以及伊克西已經製造出來的健康嬰兒數。但還缺少一件基本資訊。他們所有的報告都涉及新鮮的精液。我以非凡的克制力，一直等到上最後一道菜，才提出這個疑問。

我假裝專心欣賞甜點上裝飾的紅櫻桃，掩飾內心的興奮，我想櫻桃梗就是拼力想穿透我的透明層的精子。「你們可曾試過冷凍精子？」最後，我一邊把櫻桃連梗往鮮奶油裡塞，一邊問。

我要的無非是個「是」或「否」的答案，但兩人卻互相禮讓了半天。最後才在「你講嘛，保羅」的敦促下，由戴福洛伊告訴我，他們已運用低溫保存的精子做出幾個成功的伊克西案例，對象都是罹患睪丸癌，在化學治療或放射線治療，喪失生殖力的病人。我甚至沒費口舌去問那些精子放了多久。根據戴福洛伊描述的狀況，起碼也有好幾個星期，甚至可能好幾個月。

我問，是否有可能在第二天，現場觀摩到法蘭德斯式的伊克西手續實況。

我看到的是跟顯微鏡銜接的彩色攝影監視器。我永遠都記得，為了向我這位提供他研究經費的基金會主任致敬，史泰特根親自將一顆卵子固定在培養皿裡，將它兩極對準南北。我

屏住呼吸，注視他將含有一顆精子——尾先頭後地被吸入針管——的毛細針從三點鐘方向刺進去。針停止移動，將那顆精子注射到卵子內部時，我下腹的痙攣才化做眼淚，眼睜睜看著針尖以無比的溫柔退出，而卵子也獲得釋放。我當然把這件事想得太浪漫，但我真的覺得自己目擊的這一幕，是自然界最原始的莊嚴大事。

雖然那不是我的卵子，也不是曼那欽的精子，我還是在布魯塞爾多停留了幾天。精子注入後的前十八個小時，是伊克西的關鍵期：孕育中的卵子須詳加檢驗，以防顯微注射造成任何損傷；如果發現了兩個原核——細胞分裂生殖的第一個徵象——就把受精卵再保溫培育二十四小時，以確定胚胎的形成。

我沒有留下觀察胚胎植入婦女子宮的實際過程。我不想見到那個女人。目睹一個女人畢生最私密的時刻，在伊克西以前的歷史上，世界上幾十億母親從沒有機會親眼看到這種事，不啻以一種無法界定，卻極其明目張膽的方式，闖入她的隱私。而更重要的是，當毛細針刺進那個屬於陌生人的透明層時，我的心就完全被曼那欽佔據。從那一刻起，我唯一的念頭就是，有朝一日，曼那欽的精子也會從三點鐘方向穿透我的透明層。

我離開布魯塞爾前，跟史泰特根約了時間。我們選了一月的前兩個星期。這給我足夠的時間，在紐約跟史泰特根推薦的內分泌專家做好準備。

米蘭妮告訴弗教授，他跟霍爾班畫的坎特伯利大主教瓦竿十分相像。「難道大主教瓦竿

也有些猶太基因？」弗教授開玩笑道。不過他很快就把話鋒轉到他最感興趣的題目：滿足他職業上的好奇。

「我以為你去了比利時。瑞普康究竟贊助那兒的哪種精采的研究呢？不必透露你的業務機密，」他露出一個同謀的微笑：「只要告訴我，現在最熱門的是什麼就好了。」

米蘭妮描述完她在布魯塞爾目睹的情形，弗教授雙手捧腮，沈思了一會兒。

「這不是我的專業，」最後他說：「但我真想知道這到後來會發展成什麼樣子？難道就任憑生殖科技界群雄崛起，無法無天嗎？你難道沒有考慮過？」

「你想說什麼？」米蘭妮的聲音中有股強烈的自衛意識。

「放輕鬆啦，」他輕觸一下她的手臂：「面臨不孕問題的夫婦為求一兒半女，什麼都願意嘗試。我想說的是，現在既沒有法規，甚至連個綱領都沒有，這些新技術使用的範疇根本沒有極限。」

米蘭妮低頭看自己的手，雙手交疊，彷彿在祈禱。她沈默不語。

「這年頭，為什麼每對夫婦都要生小孩？」他繼續說：「母親這事業員的那麼有吸引力？」

米蘭妮忽然抬起頭：「我要更正。你既然說夫婦，你談的就必然是父親和母親。這可能是誇大事實。你對做母親這件事瞭解多少？」

弗教授皺起眉頭：「但是誰會願意一個人養孩子啊？」

「我想很多女人願意；她們找不到合適的合夥人，或遇到過很差勁的合夥人……或希望趁還來得及生個小孩。」

弗教授並未忘記那次他們在大都會歌劇院看完《馬卡波拉事件》後的辯論。「我只是想到那麼多單身婦女，說不定都會試圖利用這項科技，如此而已。你無法否認獨力撫養小孩的難處。單親媽媽最好都有足夠的母性賀爾蒙。」

「我想你指的不是黃體素或泌乳激素之類的——」

「當然不是。」聽起來他氣憤的程度不亞於她：「不是類固醇，也不是一種聚胜肽。我說的那玩意兒，科學家還未發現。但我們都知道，它確實是存在的。它不是來自遺傳，而且會像這樣忽然消失。」他鼓起雙頰，吐一口氣，臉頰就癟了下來。米蘭妮想道，這倒滿有法國味，就像「大師」，只不過大師嘴裡含的可是真正的香菸煙霧。

「真有趣，」她故意用一種裝腔作勢的音調說：「那麼，你認為也有父性賀爾蒙存在嘛，菲力？如果沒有，那不正好從內分泌學的觀點，證明了單親母親的的優勢了嗎？」

「父性賀爾蒙？誰知道，反正，我體內不多就是了，大概和絕大多數從事科學研究的人差不多吧。」他豎起一根警告的手指晃晃：「但他們是很好的供應者，就整體而言，也都是不錯的丈夫。不過回頭談談你。是母性賀爾蒙、生理時鐘滴答響，還是超級母親症候群？就像神話裡的亞瑪遜人，她們要身兼女戰士和單親媽媽——只養女兒的。」他臨時補充道。

「我可沒有把我的卵子遐想成沈睡的處女，只等精子王子的吻來喚醒。」米蘭妮尖刻地

說。

「天哪，」弗教授喊道：「這下我可麻煩了，你收集的與生殖有關的譬喻還真不少呢。」他把面前的刀叉排排齊，試圖把談話導往不那麼動輒得咎的方向。

「不是我收集的，是我編出來的。」

「厲害。所以你現在有什麼打算呢？」

米蘭妮還不想放過他。「我們繼續幾個月前在大都會討論過的假設狀況，」她盯著弗教授的眼睛說。她往後一靠：「假設有個有生殖能力的女人，想要生一個自以為沒有生殖能力的男人的孩子。」

「自以為？」他打岔：「總有法子查出來的。」

「好吧，女的認為他沒有生殖能力。且慢，」她舉起一隻手，阻止他發問：「她無法確認，因為……」她不耐煩地搖搖頭：「因為他們不住在一起，又不方便問這種問題。」

「我的意思是，他不知道女方想要他的小孩，所以她怎麼開得了口？」

「這還是假設狀況嗎？」弗教授湊身來。每當他對一件事感興趣，就會這麼做；在學生面前，或聽學術界的八卦新聞或科學軼聞……但米蘭妮豈是隨便洩露個人隱私的人。

「多多少少吧，」她狡猾地說。

他點點頭：「我明白了。」他知道，這麼回答，代表一切是事實。「說下去。」

「上次，」米蘭妮提醒他：「你問，母親這事業是否真的那麼有吸引力。我不確定『吸引力』這字眼是否適用；對某些人來說，這根本是一種執念。」

「你說的就是超級母親症候群。」他聲稱：「或沒有父親的狀況下出現的超級母親症候群。」

「滿有趣的，」她笑道：「米蘭妮·連德蘿，超級的超級母親。可能你說得對。我們該多談談這方面。」

「好啊，談吧。」弗教授把這當作挑戰：「簡單地說，你何不去精子銀行，接受臨床證實有生殖力的精子做人工受精？這在有生殖能力的婦女身上，成功率極高。就我記憶所及，跟一般性行為是一樣高。」

不過沒什麼樂趣。但是這麼回答等於拌嘴，不適合。當然，菲力說得沒錯……但他確實是錯了。我不是那種認為受孕必須跟驚天動地的性高潮或甚至單純的性交結合在一起的女人。但我要認識孩子的父親。不僅視覺意象，也要心靈相契。我並非不在意基因或身體特徵，但到頭來，對我而言，最重要的還是無法言喻的某種人格上的投緣。

賈斯汀當然符合我的要求。在某種意義上，菲力也符合……至少可以做生身父親。但自從賈斯汀死後，就只有曼那欽讓我覺得他有資格做我孩子的生身父親。他也可以扮演很好的父親，不過已經不可能了。

為什麼是曼那欽？自從布魯塞爾，針尖穿透那不認識的的女人的卵子的那一刻起，而我想著他的的人，尤其是他的眼睛，一切就決定了。不是他瞳仁的顏色，眼睛的形狀，或非常男性化的面孔上非常女性化的長睫毛，而是一種透明的神采，展現他真正的男子氣慨。雖然他有強壯而肌肉發達的體魄，如果要挑剔，可能體毛過分濃密了點，他在性方面給我的愉悅之深，在我有限的經驗裡，沒有其他男人做得到；但想到曼那欽的男子氣慨，我還想到其他方面：他的個性、智慧、好奇、毫不做作。所有這些特徵，我都希望我的兒子能具備。如果我要生曼那欽的孩子，一定得是個男孩。

「因為我不能去精子銀行──」

「你是說：『我，米蘭妮・連德蘿』？」他插嘴道。

「是的，如果還要談下去，就不要談得那麼抽象。我個人認為，我無法跟匿名的精子捐贈者打交道。我一定要認識我孩子的生身父親。」

「我明白了，」他又中途打岔，而且口吻充滿諷刺：「我想請問，你對生身父親有哪些條件？外觀往往會騙人。比方說長壽好了，你如何查驗這一點？」

「我可以設法打聽，但長壽對我並不重要。」她很快回答：「我比較注意整體的健康，還有體型和面相，最重要的還是才智──」

「你不在乎聰明或慈悲心？」

米蘭妮暗忖，這到底是陳腔濫調的說教，還是發乎他真心。她回答：「我不知道有沒有基因管這些遺傳，不過，如果有的話，我當然也希望他擁有。尤其是負養育之責的父親，不僅是精子捐贈者。我知道我還是想找一位可以一塊兒扶養小孩的父親。既聰明，又仁慈的人，可能得多花點時間找。但我現在就需要生身父親。」

「我相信你已經找到了。」他溫和地說。

第十九章

弗教授接獲他申請的補助獲准通知的快樂，不免稍被沖淡，因為標準格式的通知函是由瑞普康董事長署名。他非常意外米蘭妮沒有親自打電話告訴他這個好消息。他們是多年好友，他想，朋友應該來道賀才對。他盤算著，下回去聽歌劇《命運的力量》（ *La Forza del Destino* ）碰到她時，可要半開玩笑地警告她一下。

但觀劇之夜米蘭妮沒有出現。最後一分鐘，燈光已暗，她的秘書才坐到位子上。

「連德蘿博士在哪兒？」指揮起身時，他悄聲問。

「她不舒服，」秘書低聲答。全場寂靜，樂隊席中，只聞指揮棒輕擊數聲，序曲便源源湧出。

「希望不嚴重，」弗教授嘟噥道。

「你瘦了，米蘭妮。」弗教授用雙手握住她伸出的手，表示親切。「在歌劇院沒見到你，我決定順道過來看看，也親自為補助的事道謝。等我們把你的錢花光，男人不舉的問題就會大有改觀。」

米蘭妮失神地一笑。「你知道那不是『我的』錢，不過補助通過了，我替你們每一個人都高興。看到你真好。」她向沙發示意：「坐啊。什麼風把你吹來的，除了感謝瑞普康的慷慨大量？」

「關心你呀。我記得你從來不曾錯過任何一齣歌劇的。今天下午我在哥大演講，所以我決定搭早一班車，順道過來。我很慶幸像這樣的臨時通知，你還能把我排進日程裡。」

「沒問題的，」她說：「最近幾星期我工作排得比較輕鬆，行程也不那麼滿。」

「出了什麼事嗎？」她坐在沙發上他的身旁，斜倚在一個角落。弗教授靠過去拍拍她疊合在膝上的雙手。「告訴我吧。畢竟，朋友是做什麼的。」

「好吧，」她遲疑了一下：「為什麼不告訴你？尤其你看起來又是那麼擔心。」

「我沒事。正相反，我好得不得了……只是她也靠過來，模仿他的動作，拍拍他的手。我什麼東西也吃不進去，好像只靠蘇打餅乾跟水過活。」她指指辦公桌上一個裝了幾片英式餅乾的小碟子。「我不想請你吃——實在太無味了。」

「少給我顧左右而言他，」他打斷她：「不要管我吃什麼，說出真相。」

「我在害喜——如此而已。」今天早晨第一次，米蘭妮開懷大笑。她用右手食指指著

他，另一手扶著小腹——好像要防止它抖動太厲害似的。「菲力，」她喊道：「你表情多好笑啊。我懷孕啦。如此而已。我懷孕兩個半月了。再熬兩個星期，最壞的階段就該過去了。再等六個月，就請你來參加割禮。」

「是男孩？」他張口結舌。

米蘭妮點點頭。「我從受精的那一刻就知道了，現在當然是從超音波檢查看出來的。但是看著精子進入卵子時，我就知道——」

「你看見了？」他的訝異，甚至明擺著不相信，都暴露在臉上。「大多數夫婦都太忙

——」

「那是大多數『夫婦』，」她打斷：「但是本單身女子沒那麼忙。我坐在椅子上，從電視監視器上看著我的三顆卵子，每一顆都被一個精子穿透。」

菲力的不信之情大幅擴張，最後爆發成一陣哈哈大笑。「這就是你一月出國的原因？還記得雪莉告訴我，你到比利時住了兩週。你從來沒告訴她原因。是為了伊克西？恭禧啊。不過這豈不有點濫用你董事的職權嗎？對不起，」他趕快說：「這樣講有點惡劣，我只是想到，萬一瑞普康有人也希望親自嘗試我們剛獲得贊助的研究怎麼辦？」

「沒關係。沒那麼嚴重。」她若有所思地看看他……「你不是完全出乎意料之外，對不對？」

「沒錯，」他輕聲說：「你等於是間接通知過我了。告訴我，」他看著地板說：「父親知道嗎？」

「你想呢？」她口氣很硬，對一個害喜的女人而言，她的聲音出奇堅決。

「他不知道，」弗教授的目光仍然投注在地毯上。

「菲力，振作吧。不要那麼失望的樣子。你是我唯一推心置腹的人。我可以信任這消息——我是說父親的身份，不是我懷孕——不會洩漏給第三者嗎？甚至連雪莉都不可以講。」

他點點頭，於是她繼續說：「現在我把這秘密告訴了一個信任過的朋友，」她再度拍拍他的手⋯⋯「我還要請教你另一件事。不過不是在這兒。」她對周遭的辦公室示意。「你今晚打算在紐約過夜嗎？」

「討論會結束後，我要跟哥大的主辦者吃晚飯，還來得及搭晚班車回波士頓。」

「你到我家過夜好嗎？住我的客房？」見他遲疑，她連忙加一句：「我來打電話給雪莉。我還提供新牙刷。」

「謝謝。雪利酒，謝了。波特酒，也謝了。事實上，我不喝酒。」弗教授舉手回絕送到面前的酒瓶。「我晚餐已經喝了葡萄酒，喝太多我就會昏昏欲睡。你就吃這個嗎？」他偏頭，向她身旁吃了一半的香蕉和土司片示意。

米蘭妮瑟縮一下，把蓋在膝上的毛巾被拉到大腿上。「這個，外加一點水。不過，我答

應你，再過兩星期，我就請你吃大餐——最起碼吃頓豐盛的早餐。恐怕廚房裡連個雞蛋都沒有。」

「無所謂，」他好脾氣地笑道：「今晚我是你的朋友、聽你懺悔、做你的顧問——完全聽你指揮。今天早晨你說，你要談另一件事。」他靠在安樂椅的椅背上，用疼愛的眼神看著斜倚在沙發上的米蘭妮。

有好長一段時間，他們都沒說話。然後弗教授才注意到，大提琴低沈的樂音從角落裡的音響傳來。「你播的是什麼？好耳熟。」

「布洛克，」她說。

「當然，當然。我該再聽一會兒。我還不知道你對希伯來音樂有興趣。」

「現在才開始的，」她挺起身說：「我找你就是想談這件事。你能介紹一位猶太拉比給我嗎？」

弗教授本來坐姿很輕鬆，兩腿交叉。這下他忽然湊身向前，兩腿立刻腳踏實地，一副準備縱身撲噬的模樣。「拉比？你剛說拉比？」

「是的，」她覺得他這種反應很有趣：「拉比。這有什麼不尋常嗎？」

「你跟我要求，就是不尋常。我記得從來沒跟你談過什麼拉比，甚至我們也不曾討論過宗教。你信教嗎？」

「不信。」

「可是你現在決定要信教？」

「我沒這麼說。」她遲疑一下⋯⋯「但是我考慮改宗。」

弗教授難以置信地搖搖頭。「這中間的差別很微妙，但蘊藏非常豐富的意義。不過我恐怕無論如何都幫不上忙。我好多年不上猶太會堂做禮拜了。就跟你一樣，我不信教，我生為猶太人，並不等於我是猶太教徒。可是，如果不是為了宗教動機，你為什麼要改信猶太教？希特勒對猶太人趕盡殺絕，才不過三十年前的事。」

米蘭妮伸手去拿喝剩一半的水杯。她喝了幾小口，然後雙手捧著杯子，讓杯子在手裡旋轉，眼睛緊盯著玻璃。「罪惡感吧，我想──」

她放下杯子，望著弗教授。「我要我兒子生為猶太人，就我所知，要做到這一點，母親必須是猶太人。」

「所以那個不知道自己已經做了爸爸的父親，是個猶太人囉？你以為把自己變成猶太人，」他的話是從牙縫裡鑽出來的⋯⋯「你就能彌補這種隱瞞他兒子存在的行為？」

米蘭妮沒有回答。她眼神集中在自己的膝上。

「我想你是需要一位拉比，」他嘆口氣⋯⋯「華萊士‧史蒂文斯有一句詩說：『屬於拉比的問題，讓拉比去回答。』我不能給你提建議，因為你知道我的看法⋯⋯父親有權利知道。你在監視器上看到的是『他的』精子。難道他一點都不知道嗎？」

「不知道。」她又端起杯子轉動了好幾下，沒有喝，就又擱下。「他以為他自己不孕。

事實上，機能上，他也確實不能生育。」

「但是──」

「菲力，讓我講完。他不能讓女人懷孕。用一般的方法不能。讓我懷孕的不是他，雖然我們……」她沈默了。

「你講完了？」

「是的。」

「好吧，」他聽來好像正舉行考試的教授：「第一個問題：你如何能在他不知情之下取得他的精子？」

「用藉口。我用保險套。」

「結論：你偷竊他的精子。」

「菲力，拜託。請說『種子』，這樣才有聖經的味道。而且你一副審判官的架勢……毫不寬容。擁有者本身認為毫無價值的東西，怎麼可以說我偷竊？他自己幾千幾百次地丟掉？」

「米蘭妮！」他阻止她：「法律上，偷竊的物品和物品的價值無關。偷竊這種行為是絕對的，就像懷孕。」

米蘭妮第一次激動起來。「又是聖經式的裁判！可是他知道他不能生育。他從來不用保險套，他也沒有做過父親。」

「我很抱歉，」他簡短地說：「你提起拉比，我情緒就變成這樣。但是你說說看：如果他不曾做過父親——不能做父親——你不擔心你『擅自取用』的那顆精子的品質嗎？它的基因是否受損？得了！」他舉起一隻手：「算我沒問。這偏離正題，不關我事，而且我不應該把問題搞得更加複雜。我們就只談道德問題。」

「可別跟我說，你相信生命始於受孕。」

「假設拉比會這麼相信。」

「好吧，就這麼說好了。那麼，我的卵子放在培養皿裡，以伊克西方式注入一個精子，然後你就可以告訴我，我懷孕了嗎？或生命就此開始了嗎？當然不是。受精卵必須再移植，植入我的子宮。然後我們才可以討論生命存在的問題。換言之，受孕和懷孕不是同步發生的。我是以孕婦的立場發言。」她從杯子上抬起眼神，大膽瞪著他，要在她專精的領域向他挑戰。「先讓我們回頭談談你前面那個關於精子可能受損的問題，而且以一個知識豐富的孕婦的立場作答。我告訴過你，我做過羊膜穿刺檢驗，包括最先進的基因測試。這遠比一般夫婦做得多。我做的時機也夠早，萬一發現嚴重問題，可以在頭三個月內墮胎。同時，那個父親告訴過我，不論導致他不孕的原因為何，這件事發生在他三十多歲的時候。所以必然是件破壞性極大的事故——說不定是放射線或化學治療。我們已經知道，這種病人會逐漸康復，沒有異常的併發問題。這回答你的問題了嗎？」

弗教授立起身，在房間裡來回踱步，最後在沙發前站住。「米蘭妮，你知道我是你的朋

友。我很同情你。但你也不會要我假裝同意你——這對我們都沒有好處。我不能幫你忙。」

他坐回椅子上。「關於拉比的問題，我不認識任何拉比，不過我可以替你在波士頓找到幾個名字。但紐約現成的拉比一定很多。查電話簿就可以了。」

「查分類電話簿，」她開玩笑地說：「查『拉比』項下？」

整個晚上，第一次，他們同時笑起來。當他們發現，在分類電話簿上實際該查的是「神職人員」項目時，笑得更大聲。這一項目下沒有再做細分，只能憑姓氏猜測誰是猶太人。

這段略顯歇斯底里的插曲告一段落後，米蘭妮說：「我不能隨便打電話給猶太會堂，我必須多少先知道負責的拉比是個什麼樣的人。所以我才問你。」

「有了，」他歡呼道：「打電話給猶太神學院吧。」

第二十章

「猶太神學院，可以為你效勞嗎？」這聲音很親切，好整以暇。米蘭妮想，說不定不常

有人打電話找他們。

「我想跟一位拉比談談。」

「當面談或是電話上談？」

「你是說電話上就可以談？」米蘭妮有點意外。

對方頓了一下。「請問你要談什麼事？」

米蘭妮也開始提高警覺。「我需要一些建議……還有一些資訊。」

「你想找哪一種拉比？」

米蘭妮有好一會兒不知該說什麼。哪一種拉比？她想說，要一位富有同情心、不多問的

女拉比，但她不確定有沒有女拉比。她結結巴巴地問：「怎麼說？」

「正統派？保守派？改革派？」米蘭妮聽得出接電話婦人口氣裡的不耐煩。

「都可以，」她趕緊回答：「我想在電話上問問有關改宗的問題……是為了一位朋友。」

最後一句話是自然冒出來的。

「這就有關係了，因為各派的改宗步驟有很大不同。」

「喔，是的，」米蘭妮趕緊說。我要的是快速、簡單、放任，她想。「那最好不要正統派的，」她說。

「我是譚能邦拉比，能為你做什麼嗎？」

過去一小時，米蘭妮一直坐在電話機旁，把問題寫在一張紙上。她希望簡潔扼要。她不知道拉比在電話上會給她多少時間，但還有一座更嘹亮的時鐘在她腦子裡滴滴作響：如果她要在兒子出世前成為猶太教徒，充其量只剩半年時間了。怎麼問拉比，哪種猶太教的改宗步驟最快捷？她總想到菲力引用的那句史帝文斯的詩。改宗的速度算不算「屬於拉比的問題」？

「我是替一位正考慮改宗猶太教的朋友打電話。」

「她原來信什麼教？」

米蘭妮愣住了。這個問題她不曾考慮過。「無宗教，」她很快回答：「她沒有宗教信仰。」

「你的朋友家裡信什麼宗教?」拉比的聲音渾厚低沈,唱詩班的聲音,但也非常堅定。

「家裡信什麼教?」米蘭妮不確定有沒有過這個問題。「基督教,我猜吧。不過不是天主教。」她立刻補充:「這有關係嗎?或許我該說,她希望成為猶太教徒,不一定是改宗。」

「你似乎有點猶太法典的天分(譯註:古老法典的精義與律則,隨著時間而逐漸變得難以理解,或在實踐上出現進退維谷的困境。拉比的一項重要任務就是賦予法典新的解釋,並針對兩難的情況尋找解決的途徑。米蘭妮的思緒顛三倒四,解讀不易,所以拉比開她玩笑)。」他發出一聲短促而合乎拉比身份的輕笑。「你的朋友為什麼要透過中間人傳話?」

這是米蘭妮預期的問題。「她不好意思——」

「宗教跟不好意思完全不可能並存,」拉比打斷她:「至少,理當是如此。」

「也許吧,」米蘭妮承認:「但宗教本身不是她不好意思的原因。」白色謊言第二號,她對自己承認。「我先跟你講講她的情形。」她說得很快,希望不會被他用問題打斷,以免又引出其他不盡真實、甚至有一半是撒謊的說詞。

「所以我要問的是,」米蘭妮描述完她的朋友守寡、第一個孩子即將出世等情況,做結論道:「她渴望生一個猶太小孩的心願,是否足夠構成改宗的條件?」

「根據你告訴我的情形,我要告訴你——或你的朋友,」米蘭妮很意外地發現自己的臉紅了,好像拉比已當面看穿了她的偽裝,「我絕不會為了讓另一個人成為猶太教徒而接受某

人改宗。如果這位母親只是爲了希望孩子成爲正式的猶太教徒而要求改宗，我會問：『這孩子要成爲猶太教徒嗎？他會在一個猶太家庭中成長嗎？』如果答案是『不』，那麼我就會說：『等孩子有足夠時間自己做決定時，再帶他來看我。』然後我會幫助孩子成爲猶太教徒，但不是他的母親。」

米蘭妮覺得心沈了下去。她沒有預料到會這麼困難。拉比似乎已察覺她的不快，換了一種不那麼說教的口吻繼續道：「要知道，你只跟一位拉比談過，我隸屬保守派。你或許會發現其他保守派教的拉比持不同態度，不過我很懷疑，你也可以找改革派的拉比談談，他們比較可能願意處理例外個案。除了嚴格的傳統派拉比，拉比們的立場有很多可能性。」

他停下來，時間長得米蘭妮以爲這場談話已告一段落。她無助地瞪著手裡一長串沒有答案的問題清單——開頭幾個字是「改宗最起碼的條件」。

他忽然又開始說：「也許我操之過急。我只考慮到你懷孕的朋友，父親呢？情況或許會因而有所不同。如果父親是猶太人，而且希望有個猶太小孩，而母親雖然不是猶太教徒，也願意學習如何佈置一個猶太家庭，那我願意在孩子出生時，爲孩子改宗。」

「可是不爲母親改宗。」

「不會因爲你剛剛談到的理由。」

米蘭妮嘆了口氣。「我告訴過你，母親單身。如果她知道，純粹因爲想要生個猶太小孩不可能獲准改宗，如果她……？」

「撒謊？」

「不！」米蘭妮驀然否認。「她就說她希望成為猶太教徒，那會怎樣？」

「這個問題無法用一句話回答。」

啊，米蘭妮想道，有進步了。

「每位拉比的答案可能都不一樣，因為這要視他們其他談話的內容而定——面對面的談話。」

「當然，」米蘭妮簡直把這兩些話當作一套話話儀式最初的程序。

「如果我覺得她誠懇、負責、成熟，我會准許她參加我們定期的研習課程——」

「她有可能在半年內入教嗎？」

「我懷疑，在我們教會中幾乎不可能。我會預期她起碼見習一年。」

「但是有沒有可能呢？」米蘭妮鍥而不捨：「如果她真的很用功？」

「也許吧。」她聽得出拉比很不情願：「在改革派教會中可能性大得多。」

「她應該做到哪些事？」米蘭妮拿起電話機旁的鉛筆。

「還是得看情況而定。」拉比的輕笑聲在米蘭妮耳中已很熟悉。「大部分拉比都傾向於保持彈性。」

「多大的彈性？」米蘭妮忍不住插嘴。

「還是得看情況，」這次的輕笑幾乎渺不可聞，但米蘭妮聽得見他的微笑。「即使正統

派也一樣。講個有關正統派的彈性的故事給你⋯⋯你的朋友聽。」

「猶太律法禁止使用保險套，理由跟禁止手淫是一樣的；無緣無故噴撒種子，稱做 zera levatala。所以萬一不孕怎麼辦，萬一有必要收集精液做人工受精時，該怎麼辦？」

米蘭妮覺得滿臉灼燙。

「我談的是夫婦間事。」她意識地把話筒拿遠一點，以免拉比聽見她劇烈的心跳。「不久以前，以色列正統派的大祭司戈倫拉比，用一根針在保險套上戳了個小洞，解決了這個問題。因為有這麼一個洞，丈夫射精跟女方的陰道就有了直接的關連，但大部分精液仍留在保險套裡，可用作人工受精。這是很聰明的兩全其美之計，不是嗎？」

米蘭妮的思緒早已飄到了別處。「所以猶太律法可以接受人工受精囉？」

「是的，不過必須是為了完成生兒育女的責任──如果已證明不能循正常性行為達成目標的話。」

米蘭妮列出的問題，並未包括任何與她利用曼那欽精液有關的事項，但拉比的故事無異開了方便之門，她忍不住一路追問下去。這番對話提供一個匿名的方式，提供足夠的背景資料，在日後由拉比為她主持改宗時，可能面臨的論辯中，發揮無與倫比的效用。

「那麼如果男人自認為不孕，女人就可以去精子銀行做人工受精囉？」

「等一下！」拉比打斷她說：「你這樣驟下結論，無論傳統派拉比或絕大多數保守派拉比都無法接受的。首先，人工受精採集的精液樣本，幾乎都是經由手淫、而非性交得到的。

但更重要的是，如果女人藉由匿名捐贈者的精子受孕，就會有亂倫的危險，這是絕對禁止的——不論可能性多麼小。」

「亂倫？」

「沒錯，亂倫。」毫無迴旋餘地的裁判：「假設她生了個女兒，而另一個女人，到同一家精子銀行做手術，生了個兒子。不是不可能，他們互不知情，但有一天相遇，結婚、生養兒女。」

「改革派對這件事的態度如何？」

「我懷疑他們會寬容這種事。但我們已經偏離正題了。畢竟，這跟你朋友的問題無關。」

從拉比的反應，米蘭妮判斷，改革派拉比可能提供一條出路。她很快搜尋清單，看看還有什麼疑問，但拉比誤解了她的沈默。

「或者，有關嗎？」

米蘭妮吃了一驚。「不認識的精子捐贈者？不是的。」她用力搖頭，好像拉比正看著她似的。「她沒有這方面的問題。」

「你的朋友還有其他的問題嗎？」

「我看看，」米蘭妮說：「她給了我一張清單……」

「趁你找問題的時候，」拉比說：「可以回答我一個問題嗎？」

「當然。」

「這位準爸爸是猶太人嗎？」

「是的。」

「你怎麼知道？」

「我就是知道。我百分之百確定他是百分之百的猶太人。」

「虔誠的猶太教徒嗎？」

米蘭妮遲疑了一下。「這我就不敢確定了。而且我也不懂你所謂『虔誠』是什麼意思。

比方說，他似乎不怎麼奉行猶太教飲食律法。」

「那他就不是虔誠的猶太教徒了。起碼根據我的標準而言，不過改革派的拉比可能還是

會承認他。」

「改革派猶太教是怎麼樣的？」

「要瞭解這件事，你必須先瞭解傳統派猶太教的意義∴他們堅稱，傳統，也就是上帝在

西奈山給摩西的一切啓示，以及與啓示有關的事項是永恆不變的；當時所訂的律法，不容許

絲毫增刪。改革派猶太教則准許信徒自由選擇遵不遵守大部分傳統律法，他們的說法是∴

『減輕負擔而不要加重負擔。』」他的口吻非常不以爲然∴「改革派接納現代的聖經批評，

而傳統派一概予以否定。改革派會堂舉行的禮拜儀式，一部分以當地語言進行，他們也承認

男女完全平等。」

「對我而言，這是最具說服力的優點，」米蘭妮喊道：「我可能會把它列為第一優先。」

「我只回答你的問題，」拉比簡短地說：「我並沒有試圖向你或你的朋友鼓吹改革派的長處。別忘了，我們猶太神學院屬於保守派。目前我只是提供你一般的資訊，但個人而言，我並不贊成對飲食律法視若無睹，也不同意放棄希伯來文，這只不過是其中兩例。我故意把男女平等放在最末，因為就歷史次序而言，它最後才出現。直到七○年代初，改革派才任命第一位女拉比——」

「你們保守派沒有女拉比嗎？」

「還沒有。」他的口吻並不鼓勵米蘭妮繼續就這方面追問下去，他甚至不給她絲毫機會。「我們剛才談到父親，你說他是猶太人，雖然很明顯不是虔誠的猶大教徒。還有其他我該考慮的因素？」

「他住在以色列。」

「喔，」他說。

「這會有不同嗎？」

「有可能。在美國，子女監護權的問題，常因父母宗教信仰不同而更加複雜。假設父親是虔誠的天主教徒，就可能會反對孩子改宗。」

「且慢，拉比，」米蘭妮有點焦躁。他一再提及她沒有考慮到的問題。「我談的是母親

在生產前改宗的問題。」

「沒錯，」拉比答道：「而我談的是孩子誕生後或稍晚改宗的問題，因為我已經不打算處理母親改宗的問題了；起碼不是在你告訴我的這種基礎上。」

「其次，」米蘭妮不打算再讓他改變話題：「也根本沒有監護權的問題。父親根本不知道我的朋友已經懷孕了。」

「那麼她不打算告訴他囉？」拉比的詫異非常明顯。

「她不能。」

「真抱歉，」他的口氣變成了後悔：「我不知道他已經去世了。」

「他沒有去世，」她冷靜地說：「他結婚了，也沒有可能離婚。」

「我懂了，」他的後悔又一變為拘謹而保守：「你的問題太複雜，恐怕不可能以電話諮詢，而且我們也談得太久，遠超出我的預期。我想你的朋友應該找一位拉比面談，不論有沒有可能改宗。似乎她在其他方面也需要拉比的忠告。」

「你可以推薦一位給我嗎──」米蘭妮立刻糾正自己：「我的意思是，給我的朋友。一位改革派的拉比。」

第二十一章

「你真是變了不少，」弗教授抓住她的肩膀的跟她保持一段距離：「你簡直是……盛開了，」他宣稱：「又那麼……」他退後幾步，以手描畫出一個想像的大肚皮。

「是啊，」她笑道：「我腫起來了。我已經開始數饅頭，巴不得早日生產。來，我有東西給你看。」

他們穿過她的客廳，經過一段小走廊。「看，」她說：「亞當的房間。」

「亞當?」他越過她，望入敞開的房門：「一間育嬰室！你已經挑好了名字。亞當，」他又念一遍，緩慢地，彷彿在測試每一個字母：「好名字，怎麼選上的?」

「理由很多。你不能虐待它；沒有暱稱；用其他語言也很容易發音──還有正如你說的，滿好聽的…亞當·連德蘿。沒有中間名字。簡單扼要。還有，很容易被猶太人接納。」

「喔，是啊，」弗教授故意讓尾音拉長。

「我以爲時間充裕，應該來得及備妥一切，」她有點倉促地補充，擋開他蓄勢待發的問題。「我甚至安排了一個瑞典來的交換保母（au pair，譯註：以料理家務或從事其他性質的工作，交換食宿，通常不另支薪。歐美有正式而廣泛的管道仲介此類活動，年輕人視爲出國觀摩的好機會）。我入院前幾週，她就會開始工作。」

「你爲什麼這麼趕？」

「你可能不知道。我是獨生女，所以亞當沒有阿姨，也沒有舅舅。而且因爲我父母都去世了，他也沒有外祖父母。所以我格外想準備得安當一點。沒有近親，我想最好有個住在家裡的幫手。現在我們回客廳去，我要聽聽你的以色列之行。」

「你當然去了貝爾旭巴，探望你在那邊的合作者？」

弗教授小心翼翼往下說：「那兒的負責人員叫約夫德·柯恩，他推動實際方案。他到耶路撒冷來，我們都在那兒開會。這計畫大多數人員都在哈達撒或希伯來大學工作；而且貝爾旭巴夏天熱得要命。不過我到過那兒一會兒，討論行政細節。」

「所以你見到曼那欽·狄維爾了？」

弗教授已狐疑了好一陣子，不知她會不會問起曼那欽。但是即使問起，也只有事實可資陳述。

「是啊，滿有意思的一個人。」他用評估的眼光看著她：「我想你認識他。」

她點點頭：「他怎麼樣？」

「很好吧。順便告訴你，他問起你，我提到你懷孕了。」

「我知道。」

我親愛的米蘭妮：

你很清楚，我不善寫信，我缺乏練習。我的工作，甚至人生，多半時間都強調隱密，使我不大願意動筆。但正如聖經《詩篇》（四十五篇一節）所謂：「我的舌頭是快手作者的筆。」換言之，我不會寫，但有時我會講精彩的故事。

收到你的新年賀卡後，很久沒你的消息。我想像你的沈默有很多理由，但老實說，眞正的原因我沒猜到，我是意外從最近來訪的布蘭岱大學弗教授口中得知的。讓我先恭禧你。我知道孩子對你的意義是何等重要。我如何能忘懷我們在倫敦的談話呢？

我必須承認，聽說你懷孕，心中難免妒忌抽痛，雖然我除了付出感情之外，談不上任何權利這麼做。但如果我的人生能改變，我知道我唯願能成爲你孩子的父親；但願我不曾在迪莫納工作就好了。我會企圖說服你把「我們的」孩子教養成一個猶太人，會有困難嗎？我現在發覺，我們從來沒有討論過宗教問題。我倆之間，與此最近乎的話題也不過是所羅門和席巴女王。

但生命的時鐘不能歸零。此生此世，我千方百計將我們的姦情合理化，如果通姦能合理

化的話。傳統猶太教處理通姦，對男女非常不公平。聖經記載的時代，通姦的婦女會被石頭砸死，而通姦的男人卻可以同時跟若干名女性來往。我有種感覺，這種雙重標準仍深植人心。不管怎麼說，既然你即將為人母，顯然我們不該再見面。我希望最起碼仍然能不時間接聽到你的消息，透過我們布蘭岱和哈達撒的伙伴。

多保重。恭禧你孩子的父親，他的品味無懈可擊。他似乎得到雙重的福佑。

曼那欽上

又及：附上一首十六世紀日本詩人荒田森竹的和歌，眞希望是我寫的。

盲眼伴奏者致盲眼走唱人之信

從眼中泉湧而起，

熱淚滾滾下。

「告訴我，」弗敎授問：「你確切的預產期。」

「年底。」米蘭妮眼裡閃爍著頑皮的光芒。

「不可能，」他喊道：「你不是過完新年就去比利時的嗎？」

「菲力，」她笑道：「猶太紀元五七三八年在伊路爾月二十九日結束。翻譯過來，就是九月十日。」

「好吧，」他說。「我這無知的猶太人只知道耶穌紀元一九七九年。你在哪兒得知希伯來曆的？」

米蘭妮舉起手：「等下告訴你。先考你：從紀元前一百年到紀元後一百年，總共多少年？」

「兩百年，還用說。幹嘛問？」

「因爲這是希伯來曆優於格利哥里曆的一個證據。『兩百年』這答案是錯的。沒有紀元零年，數字往兩端遞增，而時間只進不退，所以紀元前和紀元後無法以代數計算。換言之，正確答案是一百九十八年！」米蘭妮露出勝利的表情。

「我不敢相信，」弗教授說：「你改宗猶太敎了嗎？」他倒回沙發上。

「還沒有，不過一切進行得很順利。你建議我打電話給猶太神學院，非常正確。他們把我轉介給一位改革派的拉比，一位女性，她收我進她的改宗班。」

「你就告訴拉比說，你爲了讓兒子生而爲猶太人，所以要改信猶太敎？」

米蘭妮遲疑了一下。最後她說：「不是的。拉比不會答應。猶太神學院一位保守派的拉比已經告訴我了。」

「所以呢?」

「所以同一位保守派的拉比還告訴我,改革派會問有意改宗猶太教的人什麼樣的問題。

我聽了那五個問題,就知道我可以發乎良知認同他們──多多少少。」

「五個問題?就這麼多?」

「五個。第一題──拉比會在會堂的正式典禮中提出這個問題──我這麼做,是否出於

自由意志。我的答案顯然是肯定的,沒有人強迫我。」

「還有呢?」

「我是否放棄原來的宗教派系。我本來沒有宗教派系,也沒什麼好放棄的。還有我是否

承諾效忠猶太民族和猶太教;然後當然就是,我是否承諾遵照猶太教義教養我的孩子。我看

不出這有任何問題──尤其是最後一題。」

「那還有一個題啊。」

米蘭妮詫異地看他一眼。「你在計算嗎?我大概跳過了一題。反正,」她聳聳肩:「我

告訴拉比,我要盡快完成這件事。她指定一位導師給我,我每週去上三次課,盡快讀完指定

的教材。我希望下個月就結束,以防萬一亞當決定提前來報到。」

「我希望不至於太多事,」弗教授說:「不過我──生為猶太人──對所謂改宗程序員

是一無所知。你能否告訴我,你要學些什麼?」他期待地湊過身。

「當然好,」米蘭妮和善地說。「我很樂意展示我新學到的知識。首先,我必須熟記各

個節日：贖罪日（Yom Kippur）、歲首節（Rosh Hashanah）、新年（Chanuka）、逾越節（Pesach）……這你一定都知道了。當然還有安息日。然後是人生各個重大階段──生日、成年禮（Bar Mitzvah）、結婚、死亡。還有猶太文學，像是聖經、哈拉卡（Halakah，譯註：自聖經記事年代以來逐漸形成的猶太宗教儀禮、日常生活、為人處事的法律典章，以保存西奈山上帝啟示所產生或衍生的口頭傳統為宗旨）、猶太法律、經註（Midrash）、法典（Talmud）等。」她擺擺手。「我剛開始讀《問答集》（Responsa），我覺得非常有趣。這都是拉比解答猶太教徒疑問的紀錄，不斷出版，直到今天仍在繼續。我拿給你看，我床頭櫃上就有一本。」

米蘭妮拿著一本平裝的《美國改革派問答集：猶太教徒的疑問，拉比的解答》回來。

「要想出一個別人沒問過、或拉比沒回答過的問題，還真不容易。」她翻閱目錄：「『外科手術移植』、『讚美自殺』、『猶太人對成年人自主性行為的立場』；還有這兒，『人工受精』。顯然這個題目在法典或拉比史料裡找不到。所以問答集最有趣之處，就在於現代拉比如何處理現代的問題，或甚至過去的問題。」米蘭妮的食指一行行下滑。「『手淫』。這兒是問題的原文。」

她坐到沙發上，弗教授身邊，這樣他們可以一塊兒閱讀。「『傳統對於手淫有何說法？』」她讀到：「『男性或女性，年輕人或老年人，已婚者或未婚者，手淫是否有所區分？』這問題問得滿不錯的，不是嗎？」她合上書。

「答案呢？」

她不屑回答地聳聳肩：「我看完借你好了。」

弗教授高舉雙手：「不了，多謝。我要讀的東西已經太多了。給我簡報一下答案就夠了。」

「手淫無害也無罪。不分男女。至少這是改革派的觀點。」

「他們就教你這些？」

米蘭妮睨他一眼。他是開玩笑還是認真的？「我必須背誦所有基本禱告詞──」

「用希伯來文嗎？」

「跟這個拉比就說不必。其他拉比就說不定。我只需要學習幾種禱告的希伯來名稱和若干希伯來字眼：像是 Kaddish、Shema、Amidah……最後，除了禱告文，還要學一點猶太歷史，從亞伯拉罕和大衛王的時代，直到現代以色列建國。」

「你要考試嗎？」

「到最後才考。但我的拉比堅持，經常單獨跟我見面。因為我這麼急著要改宗，她要確認我沒有投機取巧。事實上，她沒用『改宗』這字眼。她的教會稱之為『堅信』。我們上次見面時，她考了我一個小試，成績好得不得了。」米蘭妮故做不滿狀，用鼻子哼了一聲。

「她問我，哪個猶太節日最重要。我本來想說是『贖罪日』，但我覺得太簡單了。」

「所以你怎麼說？」

「安息日！結果這才是正確答案，因爲它是唯一在十誡裡提到的假日。」

「所以你眞的要變成猶太人了，」他頗覺不可思議地搖頭。

「這得看你的定義。不過我喜歡跟拉比交談。我們聊的不僅是規則與禁忌，我們也討論價值觀，家庭、敎育、社區服務在猶太敎裡的重要性，還有些小東西。好比格利哥里曆和希伯來曆的差異，就是剛才你當掉的那題。順便告訴你，你不知道對吧，每個猶太名字都有意義的。」

「我想應該是吧。」

「我問拉比『曼那欽』是什麼意思。它的意思是『安慰者』、『撫慰者』。很貼切，我認爲。」

「告訴我，米蘭妮，」弗敎授輕聲說：「曼那欽就是孩子的父親，對嗎？」

第二十二章

弗敎授夫婦喜愛社交。經過多年的精心刪選與攀緣結交，他們組成一個朋友的圈子，來往者絕大多數是波士頓一帶的學術界人士，大家像打乒乓球一般互相邀約，有來有往。他們是很守禮的人，一旦接受人家邀請，即使後來有別人辦更有趣的派對，他們也不會爽約。他們習慣在自家餐廳裡，用上好的瓷器和銀器吃早餐，即使食物本身並不那麼豪華。

「這張請帖怎麼辦？」菲力問，他把帖子沿著光滑的餐桌面推向妻子。

「只好回絕囉，」雪莉直截了當地說：「我們好幾個星期前就答應了魏爾森家。你跟你那位哈佛同事，我們動用電腦才能在九月二十日把事情敲定。何況，我也想聽聽社會生物學的最新發展，直接來自專家之口。」

「那我可不知道，」他皺起眉頭說：「我覺得他碎嘴得很。」他不悅地把題外話揮到一旁。「但這不一樣。從來沒有人邀請過我參加贖罪日的收齋晚宴——」

「上頭又沒說『晚宴』，」她把請帖推回來：「上頭只說『收齋』。」以前人家不請你，是因為你這個猶太人很差勁。米蘭妮最近才改宗，所以還不知道。」她隔著桌子對他甜笑：「我只知道她不是邀請我們去齋戒，不過你也從來沒齋戒過？我打賭你連十誡都背不出來。」

「不可姦淫，」他說。

「這又不是第一誡，不過我很高興你記得這一誡。說真的，你為什麼不回絕她？菲力，你只要老實告訴她，我們已經有約了。」

「我不能這麼跟她說。你自己也說的，她才變成猶太人沒多久。我仍然無法相信，可是她真當一回事，我又是她第一個來請教的人。你打電話給她好了，雪莉。」

「我才不要。」她起身收拾杯盤：「信封上寫的是你的名字。」

到頭來，弗教授夫婦做了所羅門式的抉擇。雪莉單獨赴魏爾森家的約會，至少把弗教授家的名譽維繫住一部分，菲力則搭四點正的火車趕往紐約。拉瓜地亞機場到中城隧道的交通出奇地暢通，日落前他就到了米蘭妮的家。

「您早到了，」交換保母說，她把亞當側抱在腿上，晃晃腦袋，把一糾掉到眼睛裡的金髮甩開。「連德蘿博士還在會堂。亞當，跟『客人』說哈囉。」她把孩子放在地板上，牽起一隻小手跟客人相握。

的右腿穩住身子。

「媽，媽，」孩子嘰咕。

「不對，」保母笑道：「這不是媽媽。這是爸爸。亞當，叫『爸爸』。」

「爸爸。」他棕色的大眼睛煥發興奮的光芒。「爸爸。」他又喊一遍，雙手抱住弗教授

可愛的小男孩，弗教授想道，可是現在教我怎麼辦？我又不是他爸爸。

保母似乎能看透他的心思。「失陪了，我得繼續去餵他。」她看看腕錶。「連德蘿博士

應該六點半會回來。」

「別擔心我，」他安慰她：「你跟亞當做你們的事，我會在客廳裡自己安排自己。」

「爸爸……爸爸，」孩子以不可思議的速度爬進廚房，喊聲逐漸遠去。

米蘭妮的房子很寬敞，卻沒有正式的餐廳，L型的客廳一角就充當用餐區。弗教授意外

地發現桌上只有兩套餐具。他本來預期有更多客人。

「現在，讓我真正歡迎你。」米蘭妮擁抱弗教授。「我每天送亞當上床，因為他整天都

看不到我。這件事我絕不假手別人。真遺憾雪莉不能來。唉呀，我不應該這麼說。」她頑皮

地一笑：「贖罪日撒謊是可以原諒的。言猶在耳，我就不該說那種只有一半是事實的話。我

請你們兩位，因為我有個重要的問題。贖罪節的收齋日似乎時機正好。但當我聽說雪莉不能

來，心情其實是大為放鬆。我要談的問題，只跟你討論會容易得多。」見他滿臉疑惑，她趕

緊說：「待會兒再說吧。我真是個糟糕的女主人。還有，我快餓死了。你可曾從日落禁食到第二天的日落？」

「我有備胎了。」

「沒有過，」他說，然後才回過神來。「不過我倒是該禁食。」他拍拍自己的肚皮：

「贖罪日禁食也許對你有益，不過恐怕對你的腰圍不會有什麼幫助。你得運動才行。你點蠟燭，我把食物端出來。我叫克麗絲汀晚上出去逛逛。除非亞當醒來，沒人會打擾我們。如果他醒過來，我就為你表演換尿片。」

米蘭妮一口氣把所有食物都端出來。「有點像早餐，」她帶著歉意說：「不過都是高品質。壺裡是克麗絲汀今天下午擠的柳橙汁新鮮焙烤麵包，真正的奶油乾酪，切得極薄的燻鮭魚，薄片油桃拌百香果。」她自豪地笑笑：「還有主菜。」她誇張地高高舉起陶瓷大碗公的蓋子：「猶太麵疙瘩配魚子醬，旁邊是酸奶油。請自己動手，我來放音樂。然後我就要埋頭大吃。」

來，我們先吃吧。」她領他來到橢圓形的餐桌前：「你點蠟燭，我把食物端出來。

米蘭妮掀開唱盤的防塵罩，在自動換片架上擺妥三張顯然早已挑選好的唱片。

「這些食物都符合猶太飲食規則嗎？」弗教授開玩笑地問。

「誰知道？你是跟一個不守飲食教規的改革派猶太人一塊兒開齋。而且你，菲力，我懷疑你是那種根本不知道今年贖罪節落在九月二十日的猶太人。」

「我認罪。不過這魚子醬真是美味。順便問一句，」他暫停進食：「你播的什麼音樂？」

米蘭妮滿意地一笑。她就希望他會注意。「馬克斯‧布魯奇（Max Bruch）的柯爾尼德里（Kol Nidrei 譯註：猶太教信徒在贖罪日前夕，會堂禮拜開始時所唱的禱文。其內容乃為過去一年內，未能實踐向上帝所發誓言而表示懺悔。來源是西元七世紀之際，流亡西班牙的猶太人被迫改奉基督教，要求他們發誓，這些猶太人就唱柯爾尼德里，表示這種誓言無效。）。」

「但是——」

「我知道你要說什麼。『但是這是為大提琴和交響樂寫的。』下一首就是。但我要以這種方式開始：只有中提琴與鋼琴。這樣比較親切……該說是，更宗教。我今天在禮拜中聽到三遍柯爾尼德里禱告詞。你知道它的意思就是宣佈取消過去所發的誓言？」

「別取笑我了，米蘭妮。你說我聽就是了。不過，等一下，」他舉手阻止她：「你要跟我討論的問題，有沒有可能是要說服我加入猶太教？」

米蘭妮哈哈大笑：「老天爺，那是你的事，我饒了你，不跟你囉唆拉比的歷史，不過反猶太人士卻把柯爾尼德爾解釋為，所有猶太人都不值得信任，因為他們會用這種手段違背信誓。當然他們不理會這儀式只適用於無意間違反的諾言，而且只限於人對上帝的承諾。」

「連德蘿拉比，你真令我佩服得五體投地。」他好脾氣地說：「不過，這種取消誓言的

儀式，就好比是柺杖，跟天主教的懺悔如出一轍。諸如此類的儀式，無非就是准許一般人做了壞事，然後拋在腦後，自以為無所不能的神會原諒他們。謝謝你，不過我不贊成這種柺杖。」

「你很理性，不過還是不要打掉別人的柺杖吧。以馬拉諾人（Marranos，譯註：指中世紀處於西班牙統治下，為了避免宗教迫害，表面上改信基督教，私底下仍奉行猶太教儀式的猶太人）為例，這些十五世紀被迫改信天主教的猶太人，靠著柯爾尼德爾的柺杖，在心底否認受洗時發的誓；否定教會以酷刑和處死威脅迫他們做的事。但是別以為所有猶太人都贊成柯爾尼德爾的存在，」米蘭妮揮舞著沾滿乾酪的餐刀以示強調：「在上個世紀中，德國的改革派猶太人就舉行一次宗教會議，建議將禱詞中有關柯爾尼德爾的部分完全廢除。謝天謝地，他們輸了。否則我們就聽不見下一段音樂了…理查·塔克唱的柯爾尼德爾。這讓我想起今天早晨禮拜最感人的部分。聽啊。」

我該不該告訴菲力，我今天晚上為什麼要以柯爾尼德爾開始？像他這種不信教的猶太人是否能理解？去年，我在改宗班得知柯爾尼德爾時，我就知道，加入改革派猶太教的改宗儀式中，我要做的五項承諾，並不像我告訴菲力的那麼簡單。「你承諾建立一個猶太教的家庭，並積極參與會堂和猶太社區的活動嗎？」我對這問題含混過去，沒有進一步打聽所謂猶太教的家庭和積極參與的定義。我真正的目標是，在兒子出生前，成為一個合法的改革派猶

大女人。亞當誕生於一九七九年的贖罪日前幾天。我第一次參加贖罪日禮拜，甚至沒有禁食。兒子邊吸吮我的乳房，我邊用英文朗誦以下有關誓言、盟約、承諾、義務的字句：「它們都會被解除、開釋、取消、喪失效力、形同虛設；他們不會有約束力，沒有任何的力量。我們對上帝的誓言不再是誓言；盟約不再是盟約；承諾不再是承諾。」我的結論是，如果以色列人的上帝果真存在，那麼我在改宗過程中所有避重就輕的誓言，還有我兒子的猶太人資格，都符合猶太戒律了。

過去一年來，我跟愛麗絲‧高克蘭的關係，已經從拉比跟改宗信徒，進步到朋友的情誼。她比我小幾歲，單身未婚。我依照傳統，把亞當的割禮安排在他誕生的第八天。高克蘭拉比問：「父親在哪兒？」在此之前，從我第一次面談中，表示他的父親不在以來，她不曾探詢過有關父親的事。但父親應該在割禮中扮演主要角色。「我們要請一位猶太醫生，」我轉移話鋒。但曼那欽的父親身份是我無時或忘的。

但若沒有這種難題，要拉比來做什麼呢？第一個問題：我是否如菲力明快地指出般，竊取了曼那欽的種子？第二個問題：萬一他根本不想要小孩呢？既然雙親的養育之責都由我一肩挑起，強求他面對為人父親的事實又何必呢？但接到曼那欽的信後，這問題自動浮現出來。「我知道我唯一願能成為你孩子的父親」。他寫的是假設狀況，毫無含糊曖昧之處。但這就輪到第三個問題：他目前的婚姻，我幾乎一無所知。我怎能用這樣的知識來加重他婚姻的負擔？

高克蘭從純粹的拉比轉變成朋友，是在她答覆我第二個問題那天。針對第一個問題：我是否竊取曼那欽的種子？她斬釘截鐵回答：「是的。」她的立場與菲力完全一致，但我還是不服氣。曼那欽把自己的種子當作無用的廢物，隨意拋灑不下數百次。我拿他一、兩個精子，不致讓我坐牢，據我的判斷，連靈魂的監牢也夠不上。抱歉，高克蘭拉比，我無言地說，我的分析結果就是如此。我們回到真正的問題吧。「愛麗絲，」我大聲說：「我怎能用這個問題加重這個男人的負擔，這又不是他起的頭。這可能會毀掉他的婚姻，起碼也會造成損害。」

「可能會損害他的婚姻？」她以拉比的嚴峻重複道：「你已經因為跟他通姦，造成無可彌補的損害了。這是不可能撤銷的。只要想想，他的通姦行為並沒有使亞當不能成為猶太人，你已經夠幸運了。」

高克蘭見我鬆了一口氣，就開始嚴詞訓誡：「說什麼『加重對方的負擔』，這種話我聽多了。」她不以為然地說：「我完全不贊成這種論調。在我看來不誠實永遠是比誠實更大的負擔。任何人都應該有機會根據充分的知識，作合理的抉擇。你所謂：『不想加重他們的負擔，』其實是剝奪他們的選擇權。」

「什麼人的選擇權？」我問：「什麼事的選擇權？」

她盯著我看了很久，我看到不贊成轉變成慈悲。「生身父親和你的選擇權。他很可能會說：『這太棒了，我想來看看我親生的孩子，雖然我還是會維繫原來的婚姻。』他發現自己

並沒有完全喪失生殖能力，也可能會覺得很棒。也說不定他會告訴你，他不想跟你或兒子有任何關係；你跟亞當自生自滅去吧。即使他這麼說，你的處境也不會比現在更糟。」

「但事情不盡然這麼單純，」我抗議道：「你只提出兩種選擇。還有很多其他可能性。

萬一他要求分享監護權怎麼辦？」

「他難道沒有資格嗎？」她沈靜地說：「不要像法典學者那麼愛鑽牛角尖吧。」以這種方式結束跟拉比的談話，著實很奇怪。

「菲力，」米蘭妮說：「咱們換到更舒服的位子去談吧。」

「你是說我們還沒開始談？」

「沒談到真正縈繞我心頭的問題。」

第二十三章

我最親愛的曼那欽：

你可能覺得奇怪，為什麼我要託菲力把這個信封帶到以色列，當面交給你。首先，我不想冒一丁點這封信落入別人手中的風險。其次，送達的時機非常重要，因為你一定會問，我為什麼不早在一、兩年前，就寫這封信。還有最後一點，菲力已逐漸猜到我即將告訴你的事。

所以他是我唯一信得過的信差。

我沒有回覆你的上一封信，因為我當時還沒有準備好坦承一切。重大告解應該當面為之。雖然這是我畢生最重要的一次告解，我還是覺得，「你」在得知此事時，沒有必要面對「我」：你是我兒子的父親。

我知道很多事有待解釋。我想你現在最想知道的是「如何」，而非「為什麼」。但是請耐心（如果我還能要求你的耐心），讓我先說明「為什麼」，然後「如何」就不難理解了。

你知道，我沒有生過孩子。我的婚姻存續期間，雖曾考慮過做母親，環境和賈斯汀的模稜兩可卻讓我一再拖延，直到完全來不及。直到做了寡婦，選擇的機會已無法挽回，我才知道惋惜失去的一切。然而，失落的機會又以一種我無法預見的方式，再度回到手中；當時我自以為已放棄奢念，埋頭專注工作。

我的新工作為我尋回失落的一切。瑞普康董事一職，提供我專業與財務上的安全感，甚至更重要的，還有自信與完全的獨立自主。同時，生理時鐘的滴答聲愈來愈響亮，我開始一股愈來愈強烈的做母親的慾望。我覺得以我目前的地位，可以完善發揮母親的功能，我也有能力在情緒上照顧自己和孩子。但你是知道的，賈斯汀死後，遇見你之前，我一直沒有性伴侶。是的，我考慮過人工受精，接受不知名的捐贈者的精子，但這樣我會對「我的」孩子的父親一無所知，每思及此，我就覺得無法接受這方式。孩子生父的生理特徵對我極為重要，我不能放棄這項堅持。

忽然間，你，我的曼那欽，就這樣出現在我眼前，像從天而降的性感天使。還不止於此：你是做為我孩子的父親，唯一合適的人選。但我幾乎也立刻知道，我們沒有可能生活在一起。你在以色列，我在紐約；我是自由之身，而你不是。

現在，我可以想像，你開始懷疑是否碰到了一個浪漫的瘋子。你，「不孕」的曼那欽，怎麼可能使我懷孕？還記得克齊堡第一晚，你告訴過我，所羅門每個月只寵幸席巴女王三次，但質比量更重要？身為瑞普康的董事，我佔的一大優勢就是，全世界的生殖生物科技有

任何新發展，我都會最先知道，包括治療男性不孕的研究在內。你還記得在倫敦的時候，你問我那些比利時科學家做什麼研究，而我答「伊克西」？當時我沒告訴你，伊克西（ＩＣＳＩ）也就是「細胞質內精子植入術」的簡稱，這套技術只需要取得「一個」正常的精子，就可以使女人的卵子受孕。

我賭我的所羅門，曼那欽，還有足夠健全的精子，可以在培養皿裡穿透卵子。基於這個假設，我對你撒了謊。這是我第一次告解，你一定要相信我，對你，我只說過這一次謊。有時我沒告訴你全盤眞相——正如你一樣——但那都只是事實的省略，而非刻意捏造。還記得我突如其來掏出一個保險套，說我受到了酵素感染嗎？我知道你不會忘記，因爲你臉上那種好笑的表情，還有你看著我把橡皮筋綁在你的難隙上，以防寶貴的精子灑出來時，你那可愛的難難的反應，我都歷歷如在眼前。但你可能不記得的是，你一在我裡面射了精，我就連忙跑到浴室，假裝把保險套連你實貴的精液清理掉。實際上我沒有丟掉，而是放在貯有液化氮的小型杜耳雙層眞空瓶裡，其餘你可自行想像了。

你確實還有正常的精子；，靠你自己的力量無法讓女人懷孕，但做伊克西卻綽綽有餘，而我提供了卵子。幾個月後，弗教授告訴你我懷孕的消息，我沒有對父親的身份撒謊，但也沒告訴弗教授他是誰。我想，我自己知道父親的身份就已足夠。

（當然，這也涉及亞當該知道什麼，以及該在什麼時候告訴他的問題，但這一部分決定於你對這封信的反應。）

現在我像解一樣，對你坦承相告（一個新近改宗的猶太女人打這種比方，是不是很可怕？），我承認懷孕期間和亞當剛誕生那幾個月，我對於取走你那個精子毫無罪惡感。但後來，我不只一次在晚宴或一對一交談中，把我做的事當作假設情況，提出來與人討論。我要帶出這話題很簡單。我只需隨口談起，伊克西是我的基金會正在贊助的一個熱門計畫，然後就可以問：「如果……」

我的問題引起的反應之強烈，令我啞然失色。「這樣她是『偷竊』他的精子啊！」這是其中一種反應，不僅男人這麼説，女人也這麼説。最初，我自衛心很強，會假裝替精子竊賊辯護。我一再堅持，那個男人留著這個精子也沒有用。「但『你』也不可以用啊！」有個女人大聲對我説，好像她已經知道，我的卵子經由寶貴的種子而受精的事。「你跟你的卵子不可能自行受精，你需要做伊克西，伊克西又不屬於你！」

我還記得這番談話，因為我最後受了極大感動。我幾乎想解釋，在某種意義上，伊克西確實屬於我；我透過瑞普康，間接促成其發明，而自認為不孕的生父，根本不認為他的精子有任何價值。你怎麼可能偷竊本身毫無價值的東西？菲力的答覆是：「東西是偷來的就是偷來的，與它本身的價值無關。」

人家還問我一個問題，男方是否會認為，這個悲慘的世界已經人滿為患，不願生兒育女？我聳聳肩，因為你的上一封信，已經提供你對生育感興趣的充分證據。大多數猶太男人與你有同感。但是在床第間不只一次被你喊過「外邦情人」的我，又如何得知？因為，正如

這封信開始時提到的，我是個新近改宗入教的猶太女人，當然不是正統派猶太教——不過這無關緊要。雖然我們共度的短暫時光，從來沒有討論過宗教，我覺得你會希望你的孩子有個猶太母親。所以你看，內心深處，我也一直把亞當視爲你的兒子。

我已經告訴你生命中的一椿大事。最後我還要告訴你一椿比較理論層次的大事——與死亡有關。我上次做體檢，發現有纖維瘤，我要做子宮摘除手術。每年做這項手術的婦女即使沒有上百萬，少說也有數十萬。這病不致威脅生命（無法再孕育未來的生命倒是眞的——如此亞當對我就更珍貴），卻使我想到，萬一……？

我是家中唯一的小孩，父母都已亡故。我沒有近親，雖然有朋友；其中至少有兩人，弗教授夫婦跟我有足夠的交情，他們承諾（贖罪日過後不久，眞會挑日子！）一旦我有個三長兩短，又沒有別人承擔監護責任的話，出面擔任亞當的父母。但我覺得爲了亞當，也爲了我自己的罪惡感，你應該知道你是他的父親。我不想把你未曾想要的負擔加諸你身上。除了弗教授夫婦，也沒有別人知道你的父緣關係。你讀完這封信，只要告訴菲力「是」或「否」。他承諾絕不會遊說你在我死後，以任何形式擔任亞當的法律監護人。

讓我以一則與所羅門王和席巴女王有關的神話插曲，結束這封信。畢竟，我們也是因他們的故事結緣。你可知道另有一個伊索比亞版本？我最近才從敎伊索比亞研究的烏蘭鐸夫敎授那兒得知。他說，伊索比亞人有部重要性相當於《舊約聖經》或《古蘭經》的聖書《君王的榮耀》（Kebra Nagast），經中確認所羅門王與席巴女王有肉體關係，並暗示女王回伊索

比亞時，已有身孕，而所羅門王毫不知情。她生了一個兒子，取名梅那雷克，是伊索比亞王朝的建立者。跟我們特別有關的部分是後來女王把梅那雷克送回耶路撒冷，要求所羅門教育他。所以我要告訴你資料來源，證明不是我瞎編的。附上摘自烏蘭鐸夫一篇論文，一幅敍述整則故事的伊索比亞繪畫，原畫以類似連環圖畫的形式，分割成四十四小片。也許有一天，你我可以一塊兒到耶路撒冷的聖墓大教堂中的伊索比亞部分，欣賞原作，尤其是第二十六幅，畫的是所羅門與女王「同睡」；還有第三十一幅，梅那雷克要求：「跟我談談父親」；第三十五幅，父子相聚。我們可以不理會第四十三幅，女王臨終時才坦承真相。

你我在維也納同賞韓德爾歌劇，享受到的快樂可說已至文字所能形容的極致。幾個月前，我第一次聽到韓德爾的神劇《所羅門》，全句最末以所羅門與席巴女王的合唱結束；到最後一句，兩人高唱「無價且無畏的讚美」。亞當的誕生確實是一件值得讚美的事。

好好保重，我的曼那欽，我的所羅門。

米蘭妮上

第二十四章

一九八一年六月九日，《紐約時報》頭版的全頁大標題：

以色列噴射機炸毀伊拉克核子反應爐

美國與阿拉伯各國同聲譴責攻擊行為

通常只有《每日新聞》等小型報，才以如此怵目驚心的方式處理標題，《紐約時報》的全版標題，只保留給真正轟動全世界的大事。主要報導八日自耶路撒冷發出，一開頭是兩個硬梆梆的句子：「以色列政府今日宣佈，昨日以色列戰機轟炸巴格達附近地區，炸毀一座可供伊拉克製造核子武器之核子反應爐。比金總理辯稱，此乃防範『邪惡』的伊拉克總統沙達姆·哈珊，動用類似二次世界大戰轟炸廣島之核子彈，攻擊以色列城市之必要行動。」

來自耶路撒冷的報導轉往報紙內頁，又佔用了將近半頁的篇幅，其中包括以色列政府簡短的聲明，宣稱：「根據極為可靠、無可懷疑的消息來源，我們得知此處經偽裝的核反應爐，實際是為生產核武器而設計。」

《紐約時報》的社論很少評論當天的新聞，但六月九日是個例外。主要社論標題是〈以色列的幻想〉，第一句說：「以色列偷襲巴格達近郊法國所建的核子反應爐，乃是一次無可原諒而短視的攻擊行為，」最後一句又說：「以色列再大膽妄為下去，將成為其自身最可怕的敵人。」

外國政府的官方反應同樣嚴厲。英國外交部說這次攻擊「無正當理由」，並且表示「我們只能譴責這種嚴重破壞國際法，並可能招致慘痛後果的行徑」。莫斯科塔斯社為這次攻擊標上「野蠻」的形容詞；沙烏地阿拉伯的新聞部長雅曼尼稱之為「以色列國際恐怖主義的顛峰」；伊拉克的另一個鄰國科威特呼籲：「阿拉伯各國團結一致，防範以色列再度攻擊。」

法國雖然公開支持伊拉克的核子裝置，牽涉最深，初步反應卻很奇怪地非常曖昧不明。一方面，新上任的社會黨總理馬洛伊，譴責以色列的突襲「無法接受，並使已處於爆發邊緣的情況更形複雜」，但他沒有表示法國是否會協助重建歐西拉克核區，或會不會繼續供應伊拉克高濃度鈾原料。

在各媒體的全頁大標題和社論譴責聲中，路透社發自耶路撒冷，宣佈以色列釋放七百五十名巴勒斯坦人的消息僅有一頁報導，幾乎沒有人注意。只有一家向來不支持以色列的英國

報紙，在小社論中嘲弄道，以色列政府連公關的本能都消失了；這篇社論問，這種唐吉訶德式的舉動，有可能收買到阿拉伯世界，或全世界任何人的同情嗎？何必在如此羞辱一個阿拉伯國家，如此明目張膽侵犯國家主權的惡行的同一天，釋放犯人？

奧西拉克轟炸事件兩個多月後，一九八一年度克齊堡科學與國際事務會議，在加拿大落磯山區的露意絲湖召開——已有足夠時間，成立一個中東衝突的特別小組。曼那欽預期砲火轟炸。他沒有失望；他站台苦戰九小時，與會者爭相譴責以色列毀滅奧西拉克的劣行。伊拉克難道沒有向法國贊助者和全世界保證，他們發展核子中心純粹為了和平用途嗎？國際稽核制度不是也保證會嚴加監督，伊拉克一有偏離和平的異狀，就立即通報嗎？最資深的一位英國籍克齊堡會員，基於最崇高的道德立場，發出譴責，他用唸訃聞的腔調，引用羅素與愛因斯坦宣言中的名句：「我們認為科學家應該聚會，評估開發大規模毀滅性武器帶來的危機，並討論解決之道……」

曼那欽早就預期議程中會有人提到此事。他情不自禁拋了一個「我早告訴過你」的眼色給大師，早先他們差點為這件事打賭。終於輪到曼那欽答辯時，他就用英國人引用的那兩位克齊堡聖人的名言做開場白。

「首先，我要就羅素和愛因斯坦的宣言被利用和濫用，說幾句話。這些名言遭遇就像耶穌基督的話，各個爭權奪利的教會和交戰國，都引用來捍衛自身的正當性；或像穆罕默德，

他的名字以類似的方式被濫用。我不希望把羅素與愛因斯坦宣言解讀成道德義務。尤其不能在這個為了種種邪惡目標，任意扭曲道德的時代。」曼那欽舉起一根手指，等待著。全場鴉雀無聲。

「我們在克齊堡應該推動理性思考和解決問題的方案。我說理性，不是道德。當今的人行事都不講究理性和常識，我們的任務就是為此爭取應得的重視。」接下來的演說他站著講完，強迫與會者抬頭望他。

「現在回頭談手邊的問題：解除奧西拉克核子反應爐的功能。讓我說，從一開始，以色列政府就相信，國際稽核制度完全應付不了伊拉克等國家。」

「還有其他哪些國家？」一位印度代表插嘴。

「例如利比亞，還有伊朗，我還可以往下數。」

「喔，」印度代表鬆了口氣，坐回椅子上。

「事實上，極度可靠的消息來源，提供我們這座反應爐完工和開始運作的兩個日期：也就是今年的七月初或九月初。」他環目四顧，看有沒有人有異議。「而透過法國的勾結，他們可取得足夠製作一枚廣島級原子彈的鈾原料。順便提一句，我們的消息來源絕對無誤。」

曼那欽掃視全場，唯獨跳過阿美德·沙雷，後者埋頭在紙上塗鴉，目光專注在面前的紙張上。「我的政府發表以下聲明，我唸一段：『短期內，伊拉克核反應爐即將開始運作，發熱。在此種運作情況下，以色列政府勢必無法做出將之炸毀的決策。該種攻擊將產生大量的

致命輻射塵，落在巴格達及數十萬無辜百姓頭上，而致生靈塗炭。」曼那欽抬起頭：「讓我暫時轉移話題一下，進一步說明我們對保存生命的關懷。我們的攻擊訂於星期日，因為，據我們無懈可擊的消息來源指出，一百五十位外籍專家——以法國人和義大利人為主——在奧西拉克工作，他們會在基督教的主日外出。而正如大家所知，沒有外國人受傷。現在讓我唸完敝國政府的聲明：『我們深知伊拉克會毫不遲疑地，將核子彈投擲於以色列的人口密集地區，因此我們被迫在伊拉克製造核子彈的威脅下，採取自衛防禦。』」

「在各位依照預期一致決議，譴責我國之前，我要提醒各位，一九七四年左右，法國與伊拉克展開合作時，伊拉克曾要求法國供應汽油與石墨式的能量反應爐，這也能製造武器級的鈽。」曼那欽暫停幾秒鐘，查閱手中的檔案卡。「法國人加以拒絕，建議改採傳統式水壓或熱水式的能量反應爐，伊拉克人卻選擇了極為先進的奧西里斯型研究反應爐，跟其他輕水式研究反應爐相較，能源評等較高。法國人同意供應，並提供高濃度的鈾，以此交換長期的廉價原油採購條件。」曼那欽把目光集中在大師身上，後者則藏身躲在濃密的香菸雲霧後面。「奧西拉克蓋的不是一座簡單的核能反應爐，這是全世界最龐大的核原料測試與研究反應爐之一，這型的反應爐只有致力發展與生產反應爐的國家才適用。很明顯，伊拉克不是這樣的一個國家。但是，在所有現存的研究反應爐當中，法製的奧西里斯型，卻最適合大量生產武器級的鈽原料。我已經佔用了不少時間，接下來就不多談技術性細節，而後果也似乎已經呼之欲出了。」曼那欽彷彿聽從某種無可避免的結論，再度坐下，並將他的發言做一總

結。

「從伊拉克的奧西拉克反應爐事件，可充分看出構成威脅的國家與不構成威脅的國家之間的基本分野。禁止核子擴散條約絕對是合理的提案，但若一味堅持書面條約，無視於實際情勢，就大大錯了。文字不是制服。我們應該對主導威脅與邪惡陰謀的國家，就核子事務施加壓力。

「六月間，以色列針對一個即將取得核武勢力的國家，採取合法的自衛行動——這個國家仍與我國處於交戰狀態，並且堅持否定以色列生存的權利。我們必須擺脫以同一套規則要求每一個人的心態。我們知道這是不可能的事；克齊堡的科學家起碼應該有足夠的堅持，承認這件事。但一九八一年九月的露意絲湖畔，這種堅持是否存在，則是另一個問題。」

「你要帶我去哪裡？」沙雷問

「到班夫鎮，不太遠。我們晚餐時間就趕回來。」

「為什麼去班夫，我來加拿大不是作觀光客的。真正的巴勒斯坦人不會容許自己到處觀光。」

「別那麼義正辭嚴啦，」曼那欽幾乎不掩飾他逐漸升高的不耐煩。「我不過是要帶你去見一個人。」

「喔？」

「這是我建立信心計畫的一環。我要你見一個我們政府的人，他在六月七日前，從來不曾跟巴解組織的人打過交道。我說服他接受例外。」

「你是說，比金要到班夫跟我們會面？」沙雷嘲弄地笑道。

「別鬧了。不過那是個跟他很接近的人。」

「我們要談什麼？」

「看你了……還有看他。我會讓你們獨處。你有兩小時跟一位在真正達成和平前，巴解組織能見到的最高政府級官員接觸。別浪費了。」

幾分鐘過去了。兩人都沒開口，直到不耐煩的汽車喇叭聲驚醒了曼那欽。他看看後視鏡。「天哪，看我後面排的車龍。我大概在加拿大開太慢了。我好多年沒開車了──幾個月前才又開始的。」他張望前方的路肩，想找個地方停車。「我先停一下，讓他們通過。希望你不要擔心。你看得出，我還是非常小心的。」

沙雷隨意揮揮手，表示不介意。「我跟你搭同一輛車，冒的風險比你坐駕駛座所能造成的任何損害，都大得多了。我們談談更嚴肅的問題。」

「放馬過來。」

「現在你們搞得奧西拉克停工了。下一步怎麼辦？你看了報紙。你昨天聽了大家的發言。你覺得值得嗎？」

「你說呢？」

「我不算數。」

「你錯了。你既然知道我們這麼做不可，我也告訴你一件只有政府官員知道的事。你知道也對你無害。這也可以證明我信任你：大家譴責我們並不代表他們私底下也反對我們。你見過柯利瑪普夫嗎？」

「當然，蘇聯人不是我們的朋友嗎？」

「只有在對他們有利的時候。」

「別以為我不知道。所以柯利瑪普夫怎麼樣？」

「不過你我也算得是非常重要的偽非政府機構的樣本。」

沙雷皺皺眉頭：「『偽非政府機構』？這是哪國語言？」

曼那欽笑道：「英文，雖然我也承認聽起來不大像。我最早是在南非學到的，全文是

quasi non-governmental organization，簡稱 quango。還不錯的字典裡都收有這個字。」

沙雷壓抑哈哈大笑的衝動，哼了一聲。「我在這兒總算學到一點帶回突尼斯會有用的東西了。我還不知道巴解組織的處境，已經在字典上有定義了。」

「他是克齊堡偽非政府機構的最佳實例。也因為如此，參加這類會議格外值得——即使不在風景這麼美的地方開會也一樣。」曼那欽揮手對羅列公路兩旁的加拿大洛磯山示意。

「如果我告訴你，明天的大會上，柯利瑪普夫不支持全面譴責以色列，你會覺得意外嗎？而且我們若不簽署禁止核子擴散條約，蘇聯並不主張立刻把我們踢出國際核能總署。」

沙雷打斷他：「談以色列談夠了。我們的犯人怎麼樣。」

「轟炸後，我們釋放了七百五十人。」

「七百五十人！不過是滄海一粟，」他怨毒地說。

「阿美德，你要講理性。你知道這不是滄海一粟，以前整個海洋都被封閉起來過。」

「我認為至少應該兩千人。」

「阿美德，」曼那欽冷靜地說：「如果一切由我決定，我說不定會照你的意思辦。你知道我對建立信心的看法。但一味鑽數字的牛角尖，沒什麼建設性。千萬別以為我們的莫薩德不知道這些人對你們的真正意義。其中有些貨真價實的恐怖份子，不僅是推定涉嫌而已。但他們每一個人都獲釋了。聽著，」他伸手碰碰阿拉伯人的衣袖：「至少這一次，我們不要像一隊在市集中討價還價的中東人，或老是計較『以牙還牙，以眼還眼』。你知道，那麼做我們會落得如何？」

「沒有牙齒的瞎子，」阿拉伯人嘟噥道。

「一點不錯。我跟我的政府幾乎亮出全部籌碼，才爭取到我要求的價碼，或至少履行了我認為最重要的部分。你我都知道，你們在奧西拉克的發現，不緊對以色列的生存極其重要，也對所有生活在我們周圍的巴勒斯坦人極其重要。否則，你不會這麼做。昨天下午，你是少數真正知道巴格達的情勢有多危急的人之一——可能僅次於我。讓我們為未來擔憂吧。讓我們談談我們可以為下一代做些什麼。」

「下一代？我那個正在跟你同胞作戰的兒子，萬一知道我跟你的秘密交易，會原諒我嗎？」他尖刻地問：「但是你不會懂的。你又沒有孩子。」

「你兩件事都弄錯了。」

「兩件？」

「我真的懂。」曼那欽握緊方向盤，加速超過前方一輛賓士轎車。這是整個下午他第一次超車。「而且我也有一個兒子。」

跋

撰寫《曼那欽的種》期間，我在以色列、奧地利、比利時、德國、英國、美國等地，分別訪談了很多人，包括科學家、臨床醫師、猶太法師（拉比）、其他領域的專家，以及很多學生與同事。雖然他們都非常坦承，傾囊以告，但我相信，我的調查方向極為敏感，且多涉及個人隱私，加以他們提供的資訊交織在本書情節當中，一定有某些人寧可保持匿名。因此我決定私下對提供我資料的人致謝，不過我還是得公開承認，他們每一位都嘉惠我良多。

不過有一個例外，即本書題獻給他的沙雷維特·傅瑞爾。他讀過某幾章的每一個版本，卻在一九九四年十一月二十七日，我的小說尚未完成之際，出乎意料身故。他陸續在以色列擔任過核能委員會委員長，國防部科學局局長等重要職位，他去世時的頭銜是魏茲曼科學研究中心副總裁兼以色列政府核子政策顧問。第二次世界大戰期間，他在英軍的猶太旅中作戰，主導數以千計的猶太難民，偷渡進入巴勒斯坦。在這些方面，他跟我書中虛構的英雄，

曼那欽‧狄維爾，有許多雷同之處。但狄維爾是出生於比屬剛果，而沙雷維特卻誕生於德國的埃施韋賀，在希特勒崛起時離開祖國。

我認識沙雷維特將近二十年。我們見面多半是在「布格瓦科學與國際事務會議」上，這是我虛構的克齊堡科學與國際事務研討會的靈感。一九九五年一月的布格瓦新聞信上刊出一則訃聞，我在此引用跟我的小說和男主角特別有關的幾句：

傅瑞爾捍衛以色列核武的立場，使他經常落入獨力跟所有其他人對抗的處境，但跟他辯論的人從不記恨他。事實上，他甚至能在政治敵對者心目中，也建立起友誼和信任，這成為他在布格瓦種種不盡為人所知的活動的基礎。因此，在蘇聯和以色列尚無外交關係的年代，他安排一位資深蘇聯學者秘密訪問以色列，並晤見以色列總理。他的學歷不高（他總是堅持人家以簡單的「先生」稱呼他，不要稱他博士或教授），但他在很多領域的淵博知識，卻令很多人嘆服不已，他也參與不計其數專業生涯以外的活動。

在追思儀式的悼辭中，當時出任以色列外交部長的裴瑞斯，極力稱頌傅瑞爾在擔任以色列駐巴黎大使館的科學顧問期間的貢獻，他在以色列與法國科學家之間，建立了互信與豐碩的合作成果。他一九五六年受任之初，辦公室只有他一個人；到他一九五九年離開巴黎時，他主持的「以法科學交流室」，一共雇用了一百五十人。

我以一年多的時間，分別在以色列與倫敦，就本書的主題，多次訪問傅瑞爾。我很幸運，也是他蔚為傳奇的擅以書信與人溝通能力的受惠者。我想摘錄兩封信中的片段做結束，表達對於一位不平凡人物的敬意。

〔一九九四年五月十二日〕如果你的小說發展到一九八一年，請讓我知道。一九七○到一九八五年間，我是以色列政府與蘇聯政府唯一的中間人，轟炸反應爐事件的後續發展極具戲劇性，各國就以色列應受何種懲罰，以及願意接受何種懲罰，達成某種程度共識。當時我的蘇聯伙伴是普利瑪可夫，他那時的頭銜是蘇聯學院亞洲研究所主任，如今則是俄羅斯海外情報局局長。〔註：一九九六年一月九日，普利瑪可夫被任名為葉爾辛內閣的外交部長。〕

〔一九九四年五月二十三日〕一九八一年突襲奧西拉克反應爐後，國際核能總署的理事會決定，向大會提出將以色列逐出國際核能總署的建議。大會通常在秋末舉行。雖然氣氛緊張，但美國不願斷然出此下策。我相信蘇聯及其盟國，以及不結盟國家，都全心支持驅逐以色列，所以我寫了附件的信給普利瑪可夫。我沒有接到回信，但該年九月初，在班夫舉行的布格瓦會議中，我就突襲問題答辯，受到長達九小時的密集砲轟，蘇聯人告訴我，他們知道我的信，但不想對我透露任何內幕。

克齊堡會議討論有關明白譴責以色列，並要求它立即簽署禁止核子擴散條例的討論中，我堅持將以色列的憂慮列入參考；禁止核子擴散條例無須提及，因為我對它毫無信心；而應該建議在中東設立禁核區。但人人都對禁止核子擴散條例著了迷，會議陷於僵局，直到俄國人提議，認可我對禁止核子擴散條例的反對，並同意禁核區。俄國跟美國同為禁止核子擴散條例的創始國和支持國，立場一向堅定，因此眾人都吃了一驚。主席決定休會，並詢問俄國代表，他們是否確定莫斯科會同意略禁止核子擴散條例。俄國人說沒問題，於是發佈了以下的聲明：「不論以色列對安全危機的觀點為何，布格瓦會議對於以色列擅自動用軍事武力，攻擊伊拉克的實驗核能反應爐一事，深表遺憾。我等一致反對以武力解決可以尋求和平手段解決的問題。本會敦促有關各國政府，採行在中東設立禁止核武區之建議，並同意將國內的核能設施，交由國際監督與控管。」

〔一九九四年五月十二日〕我當然無法不對曼那欽有親切感。事實上，我還想到，有朝一日，人家還會發現，我的官方文書抄襲《曼那欽的種》裡的段落。儘管我想像力不怎麼豐富，也能想出一、兩則可供寫成有趣的短篇故事的錯綜情節。

再怎麼說，《曼那欽的種》還是一本小說（或可說「取材自真實的虛構小說」），它絕不是歷史記實。如果我不曾認識沙雷維特·傅瑞爾，它會是本完全不同的小說。我的曼那欽·

狄維爾一切的善與好，都應視爲我對沙雷維特‧傅瑞爾的致敬。其他部分，就是純粹的虛構了。

叢書總目錄

郵撥九折，帳號：17623526聯合文學出版社有限公司
《聯合文學》雜誌訂戶八五折。掛號每件另加14元
本書目所列定價如與版權頁有異，以各書版權頁定價為準

A001	人生歌王	王禎和著	140元
A002	刺繡的歌謠	鄭愁予著	100元
A003	開放的耳語	瘂弦主編	110元
A004	沈從文自傳	沈從文著	180元
A005	夏志清文學評論集	夏志清著	130元
A006	如何測量水溝的寬度	瘂弦主編	130元
A010	烟花印象	袁則難著	110元
A011	呼蘭河傳	蕭　紅著	180元
A012	曼娜舞蹈教室	黃　凡著	110元
A015	因風飛過薔薇	潘雨桐著	130元
A017	春秋茶室	吳錦發著	180元
A018	文學・政治・知識分子	邵玉銘著	100元
A019	並不很久以前	張　讓著	140元
A020	書和影	王文興著	130元
A021	憐蛾不點燈	許台英著	160元
A022	傅雷家書	傅　雷著	220元
A023	茱萸集	汪曾祺著	260元
A024	今生緣	袁瓊瓊著	300元
A025	陰陽大裂變	蘇曉康著	140元
A028	追尋	高大鵬著	130元
A029	給我老爺買魚竿	高行健著	130元
A031	獄	張寧靜著	120元
A032	指點天涯	施叔青著	120元
A033	昨夜星辰	潘雨桐著	130元
A034	脫軌	李若男著	120元
A035	她們在多年以後的夜裡相遇	管　設著	120元
A036	掌上小札	蘇偉貞等著	100元
A037	工作外的觸覺	孫運璿等著	140元
A038	沒卵頭家	王湘琦著	140元
A039	喜福會	譚恩美著	160元
A041	變心的故事	陳曉林等著	110元
A043	影子與高跟鞋	黃秋芳著	120元
A044	不夜城市手記	蔡詩萍著	180元

A045	紅色印象	林　翎著	120元
A046	世人只有一隻眼	凌　拂著	120元
A048	高砂百合	林燿德著	180元
A049	我要去當國王	履　彊著	120元
A050	黑夜裡不斷抽長的犬齒	梁寒衣著	120元
A051	鬼的狂歡	邱妙津著	150元
A052	如花初綻的容顏	張啟疆著	100元
A053	鼠咀集——世紀末在美國	喬志高著	250元
A054	心情兩紀年	阿　盛著	140元
A055	海東青	李永平著	500元
A056	三十男人手記	蔡詩萍著	180元
A057	京都會館內褲失竊事件	朱　衣著	120元
A058	我愛張愛玲	林裕翼著	120元
A059	袋鼠男人	李　黎著	140元
A060	紅顏	楊　照著	120元
A062	教授的底牌	鄭明娳著	130元
A068	少年大頭春的生活週記	大頭春著	120元
A069	我們在這裡分手	吳　鳴著	130元
A070	家鄉的女人	梅　新著	110元
A072	紅字團	駱以軍著	130元
A073	秋天的婚禮	師瓊瑜著	120元
A074	大車拚	王禎和著	150元
A075	原稿紙	小　魚著	200元
A076	迷宮零件	林燿德著	130元
A077	紅塵裡的黑尊	陳　衡著	140元
A078	高陽小說研究	張寶琴主編	120元
A079	森林	蓬　草著	140元
A080	我妹妹	大頭春著	130元
A081	小說、小說家和他的太太	張啟疆著	140元
A082	維多利亞俱樂部	施叔青著	130元
A083	兒女們	履　彊著	140元
A084	典範的追求	陳芳明著	250元
A085	浮世書簡	李　黎著	200元
A086	暗巷迷夜	楊　照著	180元
A087	往事追憶錄	楊　照著	180元
A088	星星的末裔	楊　照著	150元
A089	無可原諒的告白	裴在美著	140元
A090	唐吉訶德與老和尚	粟　耘著	140元

A091	佛佑茶腹鴒	粟　耘著	160元
A092	春風有情	履　彊著	130元
A093	沒人寫信給上校	張大春著	250元
A094	舊金山下雨了	王文華著	140元
A095	公主徹夜未眠	成英姝著	160元
A096	地上歲月	陳　列著	120元
A097	地藏菩薩本願寺	東　年著	120元
A098	四十年來中國文學	邵玉銘等編	500元
A099	群山淡景	石黑一雄著	140元
A100	性別越界	張小虹著	180元
A101	行道天涯	平　路著	180元
A102	花叢腹語	蔡珠兒著	180元
A103	簡單的地址	黃寶蓮著	160元
A104	在海德堡墜入情網	龍應台著	180元
A105	文化採光	黃光男著　.	160元
A106	文學的原像	楊　照著	180元
A107	日本電影風貌	舒　明著	300元
A109	夢書	蘇偉貞著	160元
A110	大東區	林燿德著	180元
A111	男人背叛	苦　苓著	160元
A112	呂赫若小說全集	呂赫若著	500元
A113	去年冬天	東　年著	150元
A114	寂寞的群眾	邱妙津著	150元
A115	傲慢與偏見	蕭　蔓著	170元
A116	頑皮家族	張貴興著	160元
A117	安卓珍尼	董啟章著	180元
A118	我是這樣說的	東　年著	150元
A119	撒謊的信徒	張大春著	230元
A120	蒙馬特遺書	邱妙津著	180元
A121	飲食男	盧非易著	180元
A122	迷路的詩	楊　照著	200元
A123	小五的時代	張國立著	180元
A124	夜間飛行	劉叔慧著	170元
A125	危樓夜讀	陳芳明著	250元
A126	野孩子	大頭春著	180元
A127	晴天筆記	李　黎著	180元
A128	自戀女人	張小虹著	180元
A129	慾望新地圖	張小虹著	280元

A130	姐妹書	蔡素芬著	180元
A131	旅行的雲	林文義著	180元
A132	康特的難題	翟若適著	250元
A133	散步到他方	賴香吟著	150元
A134	舊時相識	黃光男著	150元
A135	島嶼獨白	蔣　勳著	180元
A136	鋼鐵蝴蝶	林燿德著	250元
A137	導盲者	張啟疆著	160元
A138	老天使俱樂部	顏忠賢著	190元
A139	冷海情深	夏曼・藍波安著	180元
A140	人類不宜飛行	成英姝著	180元
A141	夜夜要喝長島冰茶的女人	朱國珍著	180元
A142	地圖集	董啟章著	180元
A143	更衣室的女人	章　緣著	200元
A144	私人放映室	成英姝著	180元
A145	燦爛的星空	馬　森著	300元
A146	呂赫若作品研究	陳映真等著	300元
A147	Caf e Monday	楊　照著	180元
A148	我的靈魂感到巨大的餓	陳玉慧著	180元
A149	誰是老大？	龐　德著	199元
A150	履歷表	梅　新著	150元
A151	在山上演奏的星子們	林裕翼著	180元
A152	失蹤的太平洋三號	東　年著	240元
A153	百齡箋	平　路著	180元
A154	紅塵五注	平　路著	180元
A155	女人權力	平　路著	180元
A156	愛情女人	平　路著	180元
A157	小說稗類	張大春著	180元
A158	台灣查甫人	王浩威著	180元
A159	黃凡小說精選集	黃　凡著	280元
A160	好女孩不做	成英姝著	180元
A161	古典與現代女性的闡釋	孫康宜著	220元
A162	夢與灰燼	楊　照著	200元
A163	洗	郝譽翔著	200元
A164	朱鴒漫遊仙境	李永平著	380元
A165	兩地相思	王禎和著	180元
A166	再會福爾摩莎	東　年著	160元
A167	男回歸線	蔡詩萍著	180元

A168	文學評論百問	彭瑞金著	240元
A169	本事	張大春著	200元
A170	初雪	李　黎著	200元
A171	風中蘆葦	陳芳明著	200元
A172	夢的終點	陳芳明著	200元
A173	時間長巷	陳芳明著	200元
A174	掌中地圖	陳芳明著	200元
A175	傳奇莫言	莫　言著	200元
A176	巫婆の七味湯	平　路著	200元
A177	我乾杯，你隨意	蕭　蔓著	180元
A178	縱橫天下	舒國治等著	150元
A179	長空萬里	黃光男著	180元
A180	找不到家的街角	徐世怡著	200元
A181	單人旅行	蘇偉貞著	200元
A182	普希金祕密日記	亞歷山大‧普希金著	250元
A183	喇嘛殺人	林照真著	300元
A184	紅嬰仔	簡　媜著	250元
A185	寂寞的遊戲	袁哲生著	180元
A186	歡喜讚歎	蔣　勳著	240元
A187	新傳說	蔣　勳著	200元
A188	惡魔的女兒	陳　雪著	200元
A189	與荒野相遇	凌　拂著	220元
A190	爽	李爽‧阿城合著	260元
A191	大規模的沉默	唐　捐著	200元
A192	尋人啟事	張大春著	240元
A193	海事	陳淑瑤著	180元
A194	一言難盡	喬志高編著	260元
A195	女流之輩	成英姝著	200元
A196	第三個舞者	駱以軍著	280元
A197	放生	黃春明著	220元
A198	布巴奇計謀	翟若適著	280元
A199	曼那欽的種	翟若適著	280元
A200	NO	翟若適著	280元

繽紛系列		定價
B001　陳松勇訐譙	陳松勇／著	120元
B002　英雄少年	吳淡如／著	140元
B003　用生命寫故事	張平宜／著	140元
B004　100位名人談理財 I	聯合報理財版／編	150元
B005　台灣職棒怪百科	棒槌子／著	140元
B006　狂人寫真集	李　菀／著	130元
B007　問愛情	愛　寧／著	160元
B008　我的生活週記（國小組）	康培倫等／著	120元
B009　我的生活週記（國中組）	雷中行等／著	120元
B010　100位名人談理財 II	聯合報理財版／編	150元
B011　100位名人談理財 III	聯合報理財版／編	150元
B012　燃燒，野球！	瘦菊子／著	160元
B013　我在建中的日子	蘇有朋／著	160元
B014　獨家的代價	烏凌翔／著	160元
B015　解心書	游乾桂／著	160元
B016　解性書	江漢聲／著	160元
B017　解情書	曾昭旭／著	160元
B018　英文小魔女	鮑佳欣／著	160元
B019　漂亮寶貝	錢薇娟／著	180元
B020　情人的黃襯衫	陳美儒／著	160元
B021　人生的路怎麼走	雨揚居士／著	200元
B022　英文小魔女在哈佛	鮑佳欣／著	160元
B023　大解碼──新推背圖	金耳釦／著	240元

B024	日文易開罐	褚士瑩／著	160元
B025	英文小魔女的媽媽教學	鮑佳欣／著	160元
B026	吃自己做的菜	王莉民／著	160元
B027	霹靂小子玩創意	潘恆旭／著	180元
B028	喝自己釀的酒 II	王莉民／著	160元
B029	英文小魔女在USA	鮑佳欣／著	160元
B030	時人牙慧	黃裕美／輯譯	250元
B031	養生菜市場	王莉民／著	180元
備註			

人物系列		定價
C001 周聯華回憶錄	周聯華／著	250元
C002 原始的酷	克里斯多·山福／著 張慧倩／譯	200元
C003 詹姆斯·狄恩	喬·漢姆斯／著 汪仲／譯	280元

十色盤系列		定價
D001 詠嘆調	陳　黎／著	130元
D002 愛情學	游乾桂／著	130元
D003 再錯也要談戀愛	蔡康永／著	180元

幽默黑皮書系列		定價
E001 打嗝時間	陳承中／著	160元
E002 李總統的三個敵人	陳承中／著	160元
E003 林洋港的三個願望	陳承中／著	160元
E004 台北亂講	陳承中／著	160元

聯合譯叢 025

曼那欽的種 (Menachem's Seed)

作　　者／翟若適 (Carl Djerassi)
發 行 人／張寶琴

總 編 輯／初安民
主　　編／江一鯉
編　　輯／余淑宜
美術編輯／周玉卿　戴榮芝
校　　對／余娟娟

出 版 者／聯合文學出版社有限公司
地　　址／台北市基隆路一段180號10樓
電　　話／27666759・27634300轉5107
郵撥帳號／17623526聯合文學出版社有限公司
登 記 證／行政院新聞局局版臺業字第6109號

印 刷 廠／成陽印刷股份有限公司
總 經 銷／聯經出版事業公司
地　　址／台北縣汐止鎮大同路一段367號三樓
電　　話／（02）26422629

出版日期／1999年11月 初版
定　　價／280元

ISBN 957-522-262-8　　　　　　　　Printed in Taiwan

國家圖書館出版品預行編目資料

曼那欽的種／翟若適（Carl Djerassi）著；
張定綺譯. -- 初版. -- 臺北市 ：
聯合文學. 1999〔民88〕
面 ： 公分. -- （聯合譯叢 ； 25）
譯自：Menachem's Seed
ISBN 957-522-262-8（平裝）

874.57　　　　　　　　　88014859